이십 세기 식-보이

기 형

이 모 쳐

이십 세기 식-보이 sick-boy

지은이 | 기형

발행인 | 정인채

발행 | 2024년 4월 30일

펴낸곳 | 이모쳐

등록번호 | 2014.06.26.(제2014-000066호)

이메일 | inchaijung@gmail.com

ISBN | 979-11-86488-25-6   03810

차례

이십 세기말의 어느 식-보이Sick-boy를 떠올린다.

그 시절 그는 집착과 미련이 사랑이고 허튼 상상이 꿈이라고 여겼다. 무엇이든 진심으로 바라면 반드시 이루어진다고 믿었고, 아무런 가망 없는 일에 매달려 아파했다.

그리하여 잠 못 드는 밤이면, 식-보이는 나지막이 음악을 틀고 밤새 글을 끄적였다.

너는 나의 상점

너는 나의 상점이었다. 멋쩍은 표정으로 문을 밀고 들어가 손 닿을 만큼의 거리를 두고 간절히 원하던 무언가와 마주했지만, 한 걸음 더 다가가 움켜잡지 못하고, 빙빙 주위를 맴돌다가 끝내 발걸음을 돌렸던 상점이다.

뒤늦게 다시 찾아가 보지만, 상점은 이미 떠났고, 텅 빈 건물의 문만 굳게 잠겨 있다. 자초한 일이다. 이제 어렴풋한 상점의 기억만을 간직한 채 살아가야 한다.

"그건 네게 너무 해로울 거야."

바닥에 흩어져 나부끼는 전단지가 그만 잊으라는 듯 그렇게 말한다. 그러나 괜찮다. 해로워야 마땅하다. 쉽게 잊는 것이야말로 오히려 고통이다.

"미련하구나?"

그래, 미련未練하다. 더운 날 선풍기가 덜덜거리고 빈 콜라병에 이슬이 맺히듯 미련이 남는다. 다만 지난 일에 미련을 두는 것이 나라면, 미련은 미련한 대로 벗 삼는 것이 나의 삶일 듯하다. 옳지, 이별이 일상인 사람에게는 이별한 채 살아가는 요령이 쌓인다. 쿠폰처럼, 미련과 둔감을 함께 적립한다.

물론 좀처럼 둔감할 수 없을 때도 있을 것이다. 어떠한 계기로 어느 날 불쑥 나를 멈춰 세워 드르륵 문이 열리는, 그런 옛 상점과 재회한다면.

그때 나는 잠시 상점의 쇼윈도를 바라보며 너를 곱씹어 볼 것 같다. 아무리 떠올려도 바래지 않을 너와의 추억을. 그리고 말할 것이다. 그때 너는 나의 소중한 상점이었다고.

안전요원

눈보라가 불어닥쳤다. 그것은 소용돌이치며 한차례 거리를 휩쓸더니 곧장 나를 향해 달려들었다. 적잖은 당혹감 속에 나는 어쩔 줄 몰라 동요했다. 혼돈 속에 존재감을 드러낸 것은 한없는 무력감뿐.

언젠가 한 사람의 좌절이 타인에게 전염된다는 말을 들은 적이 있다. 나는 그때 그 말을 믿지 않았다. 충분히 강하다고, 어떠한 눈보라도 비껴갈 수 있다고, 극복할 수 없는 어려움 따위는 없다고 자신했다. 하지만 어느 날, 눈보라가 정말 내게로 향했을 때, 정작 나는 그저 망연자실할 뿐이었다.

_부상 교체

네가 말했다.

"처음엔 꼭 선수가 되려던 건 아니었어요. 그냥 좋아했을 뿐이거든요."

처음 너를 본 곳은 대회 결승전이 열리던 경기장 안이었다. 여름이었고, 맥주병에 맺힌 이슬이 또르르 흘러내릴 것 같던 오후였다. 육면체의 파란 하늘 위로 마침 한 무리 양 떼가 몰려와 선수들의 이마에 맺힌 땀방울을 식혀주었다. 무슨 일이 벌어지기에 딱 좋은 날이라고 생각하던 참이었다. 휘슬이 울렸다.

"들것!"

시합 도중 상대의 거친 태클로 쓰러진 네가 들것에 실려 나왔다.

J 스타디움은 전국축구선수권대회가 한창이었다. 얼마 전 제대해 복학을 기다리던 나는 거기서 안전요원 아르바이트를 하고 있었다. 말이 안전요원이지, 진짜 안전을 책임질 사람들은 따로 있으므로 그다지 부담스러운 일은 아니었다. 경기가 있는 날 입구를 지키고 서서 입장권을 확인하고 자리를 안내하거나, 지정된 위치에서 대기하다가 경기가 끝나면 뒷정리를 하는 정도였다. 경기장 알바라니 은근히 기대했지만 좀 싱거운 느낌도 들었다. 경기 내내 그라운드를 등지고 서 있거나 아예 경기장 밖으로 나가 있을 때도 많았다. 월드컵 때 이런 일을 하면 극한 직업이라는 푸념을 늘어놓곤 했다.

그러므로 그날은 운이 좀 따른 날이었다. 인원이 부족해 그라운드 안쪽으로 불려 들어갔다. 볼보이로 있다가 시합 도중 일어나는 사고에 대처하는 일이었는데, 원래 짬이 있어야 맡기는 자리였다. 어쨌거나 결승전, 마침내 경기장 알바의 로망을 실현하게 되었다. 대신 평소보다 정신을 바짝 차려야 했다. 야구장처럼 파울볼이 무섭게 날아오는 일은 없지만, 필드

안은 격렬했고, 선수가 쓰러지는 일이 잦았다.

"응급처치에 대해선 알 필요 없어. 달려 들어가 들 것에 태우고 그냥 냅다 달려 나오는 거야."

알바 선배가 말했다. 심판의 수신호에 따라 민첩하게 움직여야 했다. 그라운드와 눈높이가 같아지자 설레기도 했고, 처음이라 꽤 긴장되었다. 불어온 바람에 유니폼으로 쓴 챙 넓은 모자가 자꾸 벗겨져 신경이 쓰였다. 그래서 막상 심판의 휘슬이 울리고 들것을 들고 달려 나갔을 때, 나는 아마 그 어느 때보다도 멍청한 표정을 짓고 있었을 것이 분명하다.

팽팽한 접전 속에 경기는 어느새 종반으로 치닫고 있었다. 그라운드는 땀방울과 어우러져 초록으로 번들거렸고, 그 위를 달리는 선수들은 관중의 함성에 후끈 달아올라 있었다. 낯선 열기였다.

사실 경기장 알바를 하며 느낀 점 가운데 하나는 아마추어 대회에 대한 사람들의 무관심이었다. 결승에 이르기까지 스포츠의 미래가 걱정될 정도로 관중석은 늘 텅 비어 있었다. 중계하는 경우도 드물었고, 거기에 보조를 맞추듯 시합 또한 지리멸렬했다.

그런데 그날만큼은 달랐다. 역시 결승은 결승이란 것일까…… 학교에서 보낸 응원단, 선수 가족과 지인, 대회 관계자들이 관중석을 메우고 있었고, 어디선가 중계도 해주는 모양이었다. 시합 또한 격렬했다. 이런 분위기라면 무슨 일이 일어나도 이상할 것이 없어 보였는데, 만약 그라운드 위의 선수라면 어떤 대가를 치르더라도 끝까지 뛰고 싶을 것 같았다.

바로 네가 그랬다. 너는 계속 뛰겠다고 고집했다. 후반에 교체되어 들어간 지 얼마 안 되었던 것이다. 오른쪽 정강이는 상대 선수의 스파이크에 파여 피범벅이 되어 있었다. 절로 얼굴이 찌푸려지는 상처였다. 그럼에도 너는 다시 일어나려 했고, 만류하려던 순간 너의 간절한 눈빛과 마주쳤다. 뒤로 물러설 수밖에 없었다.

스스로 몸을 일으킨 너는 그라운드 쪽으로 향했다. 그러나 몇 걸음 가지 못해 그대로 주저앉고 말았는데, 모두가 탄식하며 안타까운 시선으로 바라봤지만, 그뿐이었다. 경기는 곧 재개되었고, 코치가 심판에게 수신호를 보냈다. 교체 아웃. 너를 들것에 싣고 다시 그라운드에서 멀어지던 그때, 공기의 미묘한 흐름이 한쪽으로 기울 듯 버티고 있던 너의 어깨가 무너지는 것을 느꼈다.

우선 응급 치료가 필요했다. 너는 터치라인 바깥에 누웠고, 의사가 지혈하며 부어오른 상처를 살피는 사이, 넋을 놓은 듯 허공을 응시했다. 너의 시선은 농밀한 공기로 둘러싸인 경기장을 넘어, 바라보지만 아무것도 보이지 않는 어딘가로 향해 있었다. 단지 허탈감만으로 볼 수 없었다. 무언가 답을 구하는 듯했다. 가만히 그 모습을 바라보는데, (그럴 리 없지만) 언젠가 본 장면 같은 기분이 들었다. 어째서 그런 기분이 들었을까.

"뭐 해?"

선배가 위치로 돌아가라고 재촉했다. 나는 자리로 돌아가 다시 그라운드를 응시해야 했고, 시간이 조금 지나 네가 있던 자리를 돌아보았을 때, 너는 이미 그곳에 없었다. 벤치에도 보이지 않았다. 아마도 곧장 병원으로 간 모양이었다.

결국 그날 너의 팀은 경기에서 이겼다. 시상식과 우승을 자축하는 행사가 이어졌다. 하지만 너는 다시 돌아오지 않았다. 그라운드 어딘가에 있을 것만 같아 살펴보았지만, 그것으로 끝이었다.

　얼마의 시간이 흐르고, 나는 인터넷에서 너를 찾아보았다. 유니폼의 이름을 검색해서 알 수 있는 것은 많지 않았다. 나이, 키, 포지션, 소속팀, 출신 학교 등 기본적인 프로필 끝에 '은퇴'라고 적혀 있을 뿐이었다. 관련 기사나 흔한 SNS 계정 하나 없었다. 은퇴라……. 나는 이유가 궁금했다. 그 부상 때문일까. 그토록 강렬한 의지를 보였던 사람이 한순간 소멸하듯 사라진다는 것이 이해되지 않았다. 어쩐지 상처받은 느낌이었다.

_미복귀자

　다시 너를 본 것은 가을이 지나갈 무렵이었다. 복학을 미룬 나는 여전히 J 스타디움에서 아르바이트를 하고 있었다. 물론 이제 네가 축구 선수가 아니듯, 나도 안전요원이 아니었다. 대회가 없으니 지킬 안전도 없었다. 대신 구내매점에서 파트타임으로 일하고 있었다.

아침부터 낮까지 집에서 뒹굴다가 밤에 나가 홀로 매점을 지켰다. 꼭 돈이 필요해서만은 아니었다. 시급이 낮으니, 돈이 궁하면 차라리 다른 일을 찾아봐야 했다. 다만 그 정도가 내게는 적당했다. 그간 모아둔 돈도 좀 있고, 쓰려고 작정하지 않는 한 당분간 버틸 수 있었다.

실은 이러고 있을 때도 아니었다. 제때 졸업이라도 하려면 어서 학교로 돌아가야 했다. 전공은 적성에 맞지 않고 수업을 따라가기조차 버겁겠지만, 무언가 다시 시작할 생각이 아니라면 그래야 했다.

이대로 무작정 시간이 흘러가 세상의 암울한 전망이 내게 적중하지 않으려면, 손바닥의 모래처럼 빠져나가는 시간에 좀 더 진지해져야 했다. 하지만 그럼에도 나는 어쩐 일인지 이러고 있을 뿐이었다. 아르바이트를 그만둘 수가 없었다.

그러던 어느 날, 투명한 공기 위로 달빛이 유난히 밝은 밤이었다. 손님이 끊기고 한가해지자 나는 매점

밖 벤치로 나가 앉았다. J 스타디움 모퉁이에는 일반인에게 개방되는 보조 운동장이 하나 딸려 있었는데, 거기서 훤히 내려다보였다.

멍하니 운동장을 바라보는데, 누군가 사막의 다리우스처럼 계속 원을 그리며 트랙을 돌고 있었다. 사람이 아무도 없어서인지 유독 그 사람만 눈에 띄었던 것인지는 잘 모른다. 아무튼 달빛 아래 나와 그 사람은 삼각형을 이루었고, 그 사람이 트랙 위를 달리며 삼각형은 끊임없이 모양을 바꾸고 있었다.

이러다가 방어막 같은 게 만들어지는 것은 아닐까…… 멍하니 상상하던 찰나였다. 밤새도록 달릴 것 같던 그 사람은 어느 순간 결심하듯 진군의 방향을 틀었다. 그리고 운동장 한쪽에 내려둔 가방을 집어 들더니 매점을 향해 다가왔다. 가까이 올수록 분명히 알아볼 수 있었다. 바로 너였다. 그렇게 너는 운동복 차림에 더플백을 메고 매점 앞에 모습을 드러냈다.

한동안 그런 일이 반복되었다. 일주일에 하루 이틀을 제외하면 거의 매일이었다. 나는 밤의 매점을 지켰고, 너는 운동장을 달렸다. 그리고 보이지 않는 방어막을 만들었다. 그것은 어떤 의식처럼 느껴지기도 했다. 날씨는 개의치 않았다. 너는 달리고 또 달렸다. 〈달려라 하니〉의 실사판 같았다. 달리다 지치면 가끔 잔디 위에 몸을 뉘어 하늘을 바라보았다. 경기 중에 다친 그날처럼 무언가를 바라보았지만, 그게 무엇인지 내가 알 리는 없었다. 무엇을 보고, 왜 달리는지…… 단지 안다면, 이제 네가 부상에서 완전히 회복되었다는 사실이다.

너는 주로 운동을 마치고 돌아가는 길에 매점에 들렀다. 가끔 먼저 매점을 거쳐 운동장으로 가기도 했지만, 물을 한 통 사 가는 것은 같았다. 그때마다 우리는 계산대를 사이에 두고 가볍게 목례를 나눴다. 딱히 나를 알아보는 것 같지는 않았다. 물론 알아보든 아니든 내가 상관할 바는 아니었다. 나는 삼각형의 멈춰 있는 한 점일 뿐이었다. 다만 삼각형의 움직이는 한 점이 보이지 않는 날은 조금 신경이 쓰였다.

그러는 사이 겨울이 되었다. (아직 돌아가지 못한) 학교는 다시 방학에 들어갈 시기였다. 반면 나는 '휴학 한계선'에 이르렀고, 그만 결정을 내려야 했다. 마음은 예전과 또 다른 방향으로 기울어져 있었다. 돌아가 봐야 재수강으로 구멍이 숭숭 난 성적표에 겨우

낙제나 면할 수준의 학점을 덧칠해 졸업할 뿐이고, 어차피 딱히 못 봤던 가능성을 발견하기도 어려울 텐데, 내심 새롭게 시작하고 싶어졌다.

다만 그러면, 그다음은 무엇을 해야 할까, 뭘 하고 싶은 걸까…… 나는 여전히 답을 구할 수 없었다. 그런 식이라면 세상에 다시 봄이 오고 꽃이 피더라도 내게는 혹독한 겨울만 계속될 것 같았다. 그래서 그날은 바람이 불어오는 대로 그냥 몸을 맡기려 했는지도 모른다.

아침부터 잿빛 구름이 하늘을 뒤덮은 날이었다. 꼭 누가 흑마술이라도 부린 듯했다. 어째 아슬아슬하다 싶더니 (아니나 다를까) 낮 동안 한바탕 눈이 쏟아졌고, 밤이 되어 출근했을 때 운동장은 온통 눈을 뒤집어쓰고 있었다.

그럼에도 너는 독실한 러너처럼 '의식'을 거르지 않고 모습을 드러냈다. 그리고 아무도 밟지 않은 눈 위로 뜀 자국을 새기기 시작했다. 다만 너도 얼마 지나지 않아 포기하고 멈춰 섰는데, 자꾸 발이 미끄러지는 모양이었다. 역시 이런 날에 달리기는 무리였다. 너는 앉을 자리를 찾듯 잠시 주위를 두리번거렸지만,

이미 모든 곳이 축축하게 젖어 있었고, 단념하듯 터벅터벅 매점을 향해 걸어왔다.

그리고 계산대 위로 네가 내민 것은 물이 아닌 술이었다. 앱솔루트 보드카. 보드카 세상 사람들은 차갑게 얼어붙은 심신을 독주의 온기로 달랜다지만, 그것은 그곳 사정이었다. 게다가 네가 처음이었다. 구색 갖추기로만 생각했지, 여기(세상의 건전함을 상징하는 듯한 운동장 옆 편의점)에 진열된 보드카를 실제로 사 가는 사람이 있을 줄은 몰랐다. 어떤 맛일까⋯⋯ 그리고 보니 보드카를 마셔본 적은 없었다. 그런데 카드, 영수증과 함께 일 리터짜리 보드카를 담은 봉지를 건네받던 네가 말했다.

"한잔할래요?"

여태껏 우리가 대화를 나눈 적은 없었다. 대화는커녕 안면을 텄다기에도 애매한데, 그런 상대에게 꺼낸 첫 대사치고는 무척 야하게 느껴졌다. 속마음이 벌거벗겨진 것 같아 당황스럽기도 했다. 그러면서도 나는 나도 모르게 고개를 끄덕여 보였는데, 그날은 내게도 얼어붙은 세상에 함께 나눠 마실 독주가 필요했던 것 같다.

우리는 매점 앞 벤치에 자리 잡았다. 나는 종이컵과 마른안주 한 봉지를 가져와서 테이블 위에 펼쳐놓고 입구 표지판을 'closed'로 바꿨다. 어차피 이런 날 여길 찾아올 사람은 또 없을 것 같았다.

　그래도 좀 찔리는 기분이었는데, 얼마 전 매점 주인이 건넨 덕담이 생각났기 때문이다.

　"뭐든 지금처럼 착실히 해. 잘 풀릴 거야."

　알바를 쓰며 온갖 일을 겪어봤을 테니 한 말이겠지만, 내심 나도 그만큼 신뢰할 만한 놈은 아니라서 들으며 좀 민망했었다. 지금껏 지킬 것은 지키며 좋은 관계를 유지했는데, 얌전한 고양이 부뚜막에 먼저 오르듯 갑자기 이런 짓을 저지르니, 역시 덕담은 끝까지 아껴둬야 했다.

　그런 생각이 똬리를 틀며 고양이 발톱처럼 손톱을 세워 마른안주의 포장을 뜯는데, 술병을 열어 잔을 가득 채우던 네가 말했다.

　"그때 그 안전요원…… 맞죠?"

　너는 생각보다 먼 지점부터 나를 기억하고 있었다.

_네버마인드

보드카 병은 눈앞에서 빠르게 메말라 갔다. 첫 모금은 목이 타들어 가는 듯했지만, 다음부터는 그 맛으로 쭉쭉 털어 넣었다. 그렇게 마시다 보니 일 리터는 금방이었다. 부족한 감이 있었지만, 앱솔루트하게 취했고, 까마득히 본분을 잊기에 충분했다.

"술, 좋아하나 봐요."

"이제 선수는 아니니까요."

내가 풀린 입으로 묻자, 너는 그렇게 답했다. 딱히 할 말이 없었다. 대신 바닥난 보드카 병을 가리키며 내가 말했다.

"아쉽지 않아요?"

마침 주변에 괜찮은 바bar가 하나 있다고 했다.

"이런 날, 이 시간에 열까요?"

"아마도 이런 날, 이 시간을 위한 곳일 겁니다."

너는 정작 근무 시간인데 괜찮냐고 묻지는 않았다.

술이 들어가니, 나도 그런 재미없는 얘기는 꺼내고 싶지 않았다. 대신 별일 아니라는 듯 자리를 털고 일어났다. 완전한 보드카는 모든 망설임을 하찮게 만들어 주었다.

　내가 아무 말 없이 앞서가는 동안, 너는 묵묵히 뒤따르기만 했다. 뒤돌아보지 않았지만, 따라오는 너의 발걸음이 눈 위에 새겨지는 소리를 들을 수 있었다.
　나는 「우드스톡」으로 향하고 있었다. J 스타디움 끝자락의 큰 사거리를 가로질러 골목 안으로 깊숙이 들어가면 나오는 곳이었다. 나도 우연히 알게 되었는데, 언젠가 아르바이트를 끝내고 돌아가며 그날따라 무슨 바람이 불었는지 무작정 걷다 보니 발길이 닿았다. 그때까지 불을 밝힌 곳은 거기가 유일했다.
　허름한 상가 지하로 내려가는 입구를 너바나의 《네버마인드》 베이비가 지키고 있었다. 딱히 얼터너티브 취향은 아니었다. 장르가 주는 모호함 때문이랄까, 무언가의 대안이란 것은 결국 또 다른 대안으로 대체될 운명 같았다. 더욱이 음악이 남아 전설이 되었더라도, 스물일곱의 요절은 너무 허망하게 느껴졌다. 설령 그

것이 열반과 해탈일지라도.

그래서 《네버마인드》 포스터로만 따지자면, 조금 목이 꺼끌꺼끌해지는, 아주 괜찮다고 할 수 없는 첫인상이었다. 처음 베이비 밑을 고개 숙이고 지나가며 생각했었다. 이 아기는 잘살고 있을까, 태어나자마자 전신 노출인데 트라우마는 없을까, 하고.

그런 까닭에 크게 기대하지 않았지만, 「우드스톡」은 바로 여기다 싶은 곳이었다. 괜찮은 오디오 시스템에 내가 감히 손에 넣지 못할 아날로그 음반을 잔뜩 비치하고 있었다. 나는 술보다 음악에 끌려 그곳을 드나들게 되었다. 맥주 한 병 시켜놓고 신청곡을 쪽지에 적어 내면 가능한 대로 틀어주었다. 클릭 몇 번으로 듣는 음악과 결이 다른 소리의 황홀, 지하에서는 매번 작은 뮤직 페스티벌이 열리고 있었다.

사장 겸 바텐더는 새치 가득한 장발을 어깨까지 기른 서른 중후반의 남자였다. 이런 곳을 운영한다고 믿기 어려울 만큼 무뚝뚝한 성격이었는데, 입구 앞에 '세기말 뮤직바를 운영하는 과묵한 인간의 표본'이라는 푯말을 세워놓아도 될 법했다. 다만 한가지 말에는 예민하게 반응했는데, 누군가 사장님이라고 부르면 극구 자신이 아니라, 아내가 사장이라며 정정했다. 그런 반응과 바의 한쪽 벽에 걸린 일렉 기타를 번갈아 살피며, 나는 한때 잘 나가던 기타리스트가 한 여인과 만나 정착한 이야기를 떠올리지 않을 수 없었다. 자랑 혹은 자조, 그가 어떤 감정으로 그런 반응을 보이는지 알 수 없지만, 아무튼 그렇다면 정말 그런 모양이었다.

그 밖의 경우, 평소 그는 아무 말 없이 주문과 신청곡을 적은 쪽지를 받고 음악을 틀어주었다. 나는 좋았다. 원래 손님의 말을 끌어내는 것이 바텐더의 사명이라고 하지만, 다른 곳에선 쉽게 접할 수 없는 아날로그 음반과 함께 그 과묵함이 오히려 내가 그곳을 찾는 이유였다. 게다가 간혹 신청곡이 빌 때마다 그가 직접 선곡하는 음악이 기가 막혔다. 한 잔의 술은 그냥 거들 뿐이었다. 늘 같은 상표의 병맥주를 하나 두고 홀짝일 뿐, 칵테일이나 양주 따위를 주문하는 일은 없었다. 따로 안주를 시키지도 않았다.

(날씨를 생각하면 당연한 일이지만) 그날 「우드스톡」에는 손님이 별로 없었다. 누구의 신청곡인지 벽

에 붙박이로 넣은 JBL 4344 스피커에서 칼라 보노프의 〈레스트리스 나이트〉가 흐르고 있었고, 몇몇 단골만이 띄엄띄엄 바에 앉아 조용히 음악을 들으며 고독을 홀짝이고 있을 뿐이었다. 오히려 좋았다. 나는 흡족한 표정으로 앞장서 안으로 들어갔다. 스타디움 근처라 간혹 경기가 있는 날에는 인파의 잔물결이 이곳까지 밀려올 때도 있지만, 「우드스톡」은 원래 이런 분위기가 더 어울렸다. 더군다나 조울증에 걸릴 것 같은 날씨의 늦은 밤이라면 더할 나위 없었다. 정말이지 흑마술사와 도깨비들의 소굴 같았다.

우리는 라운지 안쪽의 등받이 없는 스툴에 나란히 걸터앉았다. 바텐더는 나와 눈이 마주치더니 말없이 하이네켄을 한 병 꺼내와 홀더와 함께 내밀었다. 그리고 너를 향해 고갯짓했다.

"일단 같은 걸로요. 그리고 블랙 러시안 한 잔이요."

네가 러시아 마피아처럼 주문하는 사이, 나는 염치없이 맥주를 한 모금 먼저 목 깊숙이 흘려보냈다. 그만큼 갈증을 느끼고 있었다. 보드카로 타버린 목을 달랜 맥주의 차갑고 부드러운 손길이 몸의 상단부터 차근히 나를 점령해 갔다. 맥주의 맛은 그때가 절정이었다.

그제야 나는 곁에 앉은 너를 의식했다. 고개를 돌려 바라보는데, 그렇게 똑바로 눈을 마주 보는 건 처음이었다. 치사하게 먼저 권하면 어디 덧나냐는 눈빛처럼 보였다. 나는 살짝 눈을 피해 인중을 바라봤다. 대화가 곤란할 때 나오는 버릇이었다. 아까도 그랬다. 매점의 테이블을 사이에 두고서도 비스듬하게 앉아 말없이 잔만 비웠다. 딱히 낯가림이 심한 편은 아니지만, 어쩐지 눈을 맞추기가 어려웠다.

어쩌면 너무 오래, 멀리서만 바라봤기 때문인지도 모른다. 멀리서는 보였던 대상이 가까이서 오히려 흐릿한, 원시를 가진 것처럼. 하지만 새삼스러울 일도 아니었다. 따지고 보면 너와 나는 낯선 타인에 불과했다. 아는 바가 거의 없었다. 축구 선수, 부상, 은퇴, 밤의 달리기 그리고 보드카…… 나는 너에 대해 턱없이 부족한 퍼즐의 조각을 나열해 볼 뿐이었다.

입장을 바꾸면 더했다. 너에게 나는 경기장 알바일 뿐이었다. 안전요원이었다가 매점을 지키는. 그런데 어째서, 무슨 이유로 우리는 이렇게 나란히 곁에 앉게 된 것일까. 하지만 너도 구구절절 시시한 화두는 꺼내고 싶지 않은 모양이었다. 그런 것 따윈 잠정 보류하듯, 마주쳤던 시선을 이내 다른 곳으로 돌린 채 네 몫으로 나온 맥주를 마셨다.

분명 쉽게 다가갈 수 있는 타입은 아니었다. 우리는 마치 서로 다른 궤도를 표류하는 위성처럼 얼마간 각자의 생각 속에 잠겼고(메이데이, 메이데이, 통신 두절…… 랑데부 실패), 침묵이 과도하게 길어질 즈음, 내가 다시 입을 열었다.

"술, 잘 마시네요."

"선수니까요."

아까와 반대의 답이 돌아왔고, 이번에도 딱히 할 말이 없긴 마찬가지였다. 조합하면 선수가 아니니까 좋아하고, 선수니까 잘 마신다고 했다. 혹 가족 중 누군가가 러시아 사람 아니냐고 물으려다가 그만뒀다. 시답잖은 농담을 하기에는 너무 일렀다.

대신 화제를 바꿔 나름 대화를 이어 가려 했지만, 번번이 흐름이 끊겼고, 서로 접점이 별로 없다는 사실을 확인할 뿐이었다. 처음부터 딱딱한 껍질 같은 것이 네 주위를 감싸고 있는 듯했다. 그런 분위기는

「우드스톡」에서도 계속되었고, 마치 너는 달리기를 하다가 잘못 뮤직바로 뛰어든 것처럼, 운동복 차림으로 더플백을 아무렇게나 발치에 던져놓은 채, 언제라도 다시 뛰어나갈 듯 의자에 걸터앉아 있었다.

다만 마냥 무관심하게 거리를 두는 것과는 조금 다를 듯했다. 만약 그랬다면 여기까지 따라올 이유도 없었으니까. 나는 다시 통신을 시도해 보았다.

"음악 신청할래요?"

"맘대로……."

이러다가 네가 경찰 223(하지무)의 어깨에 머리를 기대는 금발의 가발 여인이 되는 건 아닐지 싶었다.[1] 설마…….

칼라 보노프는 어느새 앨범의 마지막 트랙으로 건너가 〈더 워터 이즈 와이드〉를 부르고 있었다. 얼핏 듣기에 아름다운 선율로 사랑을 노래하는 것 같지만, 실은 실패한 결혼을 이야기한 노래다. 페스티벌에 썩 잘 어울리는 신청곡은 아니었다. 나는 바 테이블에 비치된 메모지와 펜을 들고 어떤 곡을 신청할지 고민

---

1) 영화 〈중경삼림〉의 한 장면.

했다. 우리가 맥주를 거의 비웠을 즈음이고, 내 몫으로 또 한 병의 맥주와 너의 블랙 러시안이 나왔다.

"뭐라도 좀 내드릴까?"

바텐더가 묻자 너는 땅콩을 좀 달라고 했다. 나는 조금 아쉬웠다. 간혹 간단한 두부 요리 한두 점을 서비스 안주로 내주었는데, 맛이 괜찮았다. 게다가 딱딱한 땅콩보다 말랑말랑한 두부처럼 우리의 분위기도 내심 부드러워지길 바랐다. 하지만 안주가 무슨 대수일까, 결국 상대가 그럴 마음이 있어야 했다.

그러자 문득 너는 아직 그럴 마음이 없다는 것을 깨달았다. 어쩌면 너는 껍질 속에서 적당한 때를 기다리는지도 모른다. '기다려요. 너무 서두를 필요 없어요. 우린 아직 서로를 모르잖아요.'라며. 그렇다면 서툴게 껍질을 까려 해봐야 소용없었다. 스스로 껍질 밖을 나오기까지 기다려야 했다.

물론 이 또한 제멋대로의 생각일 수 있었다. 그만큼 너를 알지 못하니까……. 나는 푸념하듯 읊조렸다.

"꼭 소개팅 같군요."

그러자 (시선은 그대로 멀리 둔 채) 네가 반응했다.

"그런 자리에서도 이렇게 말주변이 없나 보죠?"

"아, 아뇨."

마음, 껍질…… 그냥 말주변이 없었을 뿐이다. 사실 소개팅은 해본 적도 없다고 하자 네가 말했다.

"역시 사교성은 별로 없는 편인가 보군요."

"아뇨. 꼭 그렇지는……."

"계속 날 보고 있었다는 거 알아요."

정곡을 찔린 기분이었다. 너는 알고 있었다. 아무리 밤하늘의 별 사이에 숨어도 인공위성을 구별해 내듯.

"그건……."

그건 너에게 관심이 있다는 고백인 것 같아 얼굴이 화끈 달아올랐다. 얼굴에 눈보라가 몰아치고 있었다. 나는 제설 작업을 해야 했지만, 한창 쌓이고 있는 눈을 치우는 것만큼 무용한 일도 없다고 느꼈다. 그래서 나는 무언가 핑계를 대는 대신, 붉어진 얼굴에 덧칠하듯 연거푸 맥주를 삼켰다.

스피커에서는 핑크 플로이드의 《더 다크 사이드 오브 더 문》이 시작되고 있었다. 첫 번째 트랙 〈스피크 투 미〉부터. 조금 전까지 조니 미첼의 〈어 케이스 오브 유〉, 리키 리 존스의 〈척 이스 인 러브〉가 연달아 들렸는데, 슬슬 좀이 쑤셨는지 누군가가 신청해 놓은 모양이었다. 나는 데릭 앤 더 도미노스…… 까지 적었던 메모지를 도로 구겨 놓았다. 앨범 통째로 신청하는 것은 반칙이지만, 괜찮은 선곡이었다. 《더 다크 사이드 오브 더 문》은 한 곡만 빼서 들으면 진가를 알 수 없는 앨범이다.

바텐더가 새로운 맥주가 필요하냐는 눈빛을 보냈다. 침묵의 바텐더가 계속 침묵할 수 있는 것은 손님의 분위기를 잘 캐치하기 때문이다. 매번 맥주 한 병으로 고사를 지냈건만, 이번에는 나도 그게 좋을 듯했다. 그런데 그때 네가 남은 블랙 러시안을 마저 비우며 말했다.

"블랙 러시안 마셔봤어요?"

그러더니 답을 듣기도 전에 바텐더를 불러 두 잔을 추가했다. 이번에는 젓지 말고 그대로. 이미 술기운이 몸 아래까지 뻗은 것을 느꼈지만, 일단 그 상황을 받아들이기로 했다. 나는 아무래도 네가 러시안과 관련이 있을지 모른다는 공상을 이어 가며 칵테일이 완성되어 가는 과정을 지켜봤다. 블랙 러시안은 아까보다 신속하게 제조되어 나왔다. 보드카의 비율이 높았는데, 나온 잔을 그대로 한 모금 마셔보니 내겐 그냥 보드카나 다름없었다. 이럴 거면 차라리 순혈을 고집하는 편이 나을 법했다. 아무쪼록 이런 걸 연거푸 마시다니 너는 북방의 피를 이어받은 주당이 분명했다.

"이제 한번 저어서 마셔봐요."

너의 말대로 하자 산뜻하고 달콤한 커피 향이 보드카 맛에 섞여 나왔다. 고개가 절로 끄덕여졌다. 그때부터 나는 너의 블랙 러시안 템포에 보조를 맞췄고, 빠르게 취해갔다.

'달의 어두운 면'에서 어느덧 〈브레인 데미지〉와 〈이클립스〉가 연이어 흘러나오고 있었다. 로저 워터스가 읊조렸다. "사실 달엔 어두운 면이 없어. 전체가 어두울 뿐이지." 나는 끝내 민감한 이야기를 꺼내고 말았다.

"축구는 그만뒀다고……."

"네."

"부상 때문인가요?"

"……."

"부상은……"

"거의 회복했죠."

"그러면 복귀하면 되는 것 아닌가요?"

"뭐, 그렇죠."

"하지만?"

"지겨워요. 해도 안 되는 일 따위."

어렵사리 물꼬를 튼 대화는 곧장 감당할 수 없을 미로 속으로 빨려 들어갔다. 내가 뭐라고⋯⋯. 사실 상관 말라고 하면 그만이었다. 그런데 의외였다. 그런 이야기가 나오자 비로소 너는 담담하게 대화를 이어 나가기 시작했다. 마치 누구라도 좋으니 그런 얘길 꺼내주기를 바랐던 것처럼.

"처음엔 모든 게 즐거웠어요."

_유 월 워크 얼론

너는 중학교 2학년 때부터 축구를 시작했다. 처음 부터 선수를 꿈꿨던 건 아니다. 열혈 팬인 아버지를 따라 어려서부터 축구를 좋아했지만, 직접 그라운드

위를 뛰어보고 싶다는 생각은 해본 적이 없었다. 흥미로운 경기가 열리는 날은 가족이 다 함께 중계를 보았고, 너는 그것만으로도 충분했다(반반 치킨은 덤이었다).

그때만 해도 너의 부모님은 같은 풍경 속에 머물러 있었다. 가족은 늘 화목했고, 너는 남부럽지 않은 유년기를 보냈으며, 그 행복은 영원할 것 같았다. 하지만 오래지 않아 행복에도 유효 기간이 있다는 것을 알게 되었다. 그때는 알 수 없었던 어떤 이유로 부모님 사이는 멀어졌다. 그리고 어느 날, 너의 어머니는 아버지에게 말했다.

"유일 워크 얼론 You'll walk alone."

아버지가 아끼던 축구 유니폼에 쓰인 문구를 비튼 말이었다. 당시는 유럽에 그런 클럽이 있다는 정도만 알던 시절인데, 어디서 구했는지 아버지는 그 유니폼을 집에 걸어 놓았다. 빨간 바탕에 하얀 삼선과 스폰서의 로고가 크게 그려졌고, 왼쪽 가슴의 엠블럼 위로 "유일 네버 워크 어론 YOU'll NEVER WALK ALONE."이라는 문구가 적혀 있었다. 클럽의 응원가로 어떤 참사2)를 추모하며 부른 노래의 제목이었는데(그리고 보니 핑크 플로이드의 〈피어리스〉에도 삽입되었다), 너에게도 부모님의 갈등은 참사나 다름없었다.

아버지는 그렇게 떠났고, 너는 어머니와 단둘이 살게 되었다. 너는 여전히 축구 경기를 기다렸지만, 어머니는 아니었다. 알고 보니 어머니는 축구를 그다지 좋아하지 않았다. 당연히 좋아한다고 여기며 아무도 묻지 않았지만, 그제야 깨달건대 어머니는 축구를 좋아하는 상대를 만났을 뿐이었다.

아버지가 떠난 이후로 어머니는 달라졌다. 너를 한때 본인이 꿈꿨던, 자신의 페르소나로 만들려 애썼다. 이제부터는 공부에 좀 더 신경을 쓰라고 했다. 축구 보는 것을 탐탁지 않게 여겼고, 그럴 시간이 있으면 차라리 일찍 자라고 했다. 피부에 안 좋다고.

주중에는 빠듯한 일과가 기다리고 있었다. 그럴 형편이 아니지만 학원도 많이 보냈다. 그래야 일을 나간 어머니가 안심할 수 있는 듯했다.

반면, 그럴수록 너는 축구에 집착했다. 단지 경기

---

2) 힐스버러 참사. 89년 잉글랜드 셰필드의 힐스버러 스타디움에서 열린 리버풀과 노팅엄 포레스트의 FA컵 준결승전에 정원을 훨씬 넘는 관중을 입장시켜 수많은 사상자가 발생한 사건.

중계를 보는 것에 그치지 않았다. 독서실을 간다고 거짓말을 한 뒤, 몰래 축구 시합이 열리는 경기장을 찾아가기도 했다.

정식으로 축구를 시작한 것은 부모님의 이혼이 마무리될 무렵이었다. 꽤나 달리기가 빨랐던 너는 축구부 코치의 눈에 띄었다. 네가 다니던 학교에는 축구부가 없었지만, 다른 지역의 학교에서 축구팀을 맡고 있던 코치가 체육 선생인 친구를 만나러 왔다가 우연히 너를 보았다.

그가 한번 해볼 생각이 없냐고 물었을 때, 너는 망설임 없이 고개를 끄덕였다. 물론 어머니의 생각은 달랐다. 반대가 심했다. 가끔 얼굴을 보는 아버지도 의아한 눈치였다. 보는 건 몰라도 집안에 운동선수의 피는 흐르지 않는다고 했다.

어머니와 너 사이에 한동안 날 선 시간이 지나갔다. 하지만 너의 결심은 단호했다. 왜 하필 축구 선수였고 어디서 그런 열정이 비롯된 것인지, 너는 굳이 설명하려 들지 않았다. 다만 그렇게 말했다.

"지독하게 뛰고 싶었어요."

부연할 어떤 말도 필요 없을 듯했다. 그렇게 하기

로 마음먹었고, 중요한 것은 그뿐이었다. 순간 너의 표정에 그때의 결의가 묻어났다. 나는 그 표정에 적잖이 매료되었다. 나로서는 그런 감정을 느껴본 일이 없었다.

축구를 시작하기 위해서는 다니던 학교에서 전학을 가야 했다. 바꾸어 말하면, 이혼한 부모님 사이에서 벗어날 수 있었다. 기숙사에 머물며 합숙하는 경우가 많았고, 부모님 또한 서로 마주칠 일이 없었다. 차라리 모두에게 잘된 일이었다. 헤어진 부모 사이에 이어진 위태로운 출렁다리 위를 오가던 너는, 어떤 해방감마저 느꼈다.

본격적으로 축구를 시작한 너는 무척 행복했다. 조금 늦게 출발한 대신 성장 속도가 빨랐다. 성취감을 맛볼 수 있었고, 비로소 하고 싶은 일을 찾았다고 생각했다. 다만 소설로 치면 그것은 이야기의 첫 장일 뿐이었다.

시합에는 늘 승자와 패자가 있었다. 그 결과에 따라 길이 나뉘었다. 좋은 학교로 진학해 선수 생활을 이어 가려면 승리해야만 했다. 즐길 여유는 없었다. 좋아하는 일을 곧잘 한다는 것만으로는 충분하지 않앉다. 시작했다면 성공과 실패뿐, 중간은 없었다. 경쟁과 승부는 안팎으로 치열했고, 아파도 참고 뛰어야 했다. 생각해 보면 뚜렷한 목표 의식을 가지고 선수 생활을 시작한 것도 아니었다. 좋아하는 일을 하고 싶었을 뿐인데, 좋아했던 일이 어느 순간 부담이 되어가는 것을 느꼈다. 반면 무엇을 하든지 부담이 없을 수 없다는 것 또한 배워 나갔다. 그러므로 버틸 수 있었다.

그래도 고등학교 때까지는 그럭저럭 일이 순조롭게 풀렸다. 몇몇 친구들과 함께 나름 축구부로 이름난 고등학교로 진학할 수 있었다. 하지만 그때부터 몇 번의 부상이 너의 발목을 잡았다. 실력이 뛰어난 친구와 묶어 턱걸이하듯 대학에 진학했지만, 결국 거기까지였다.

그 뒤로는 줄곧 후보 선수에 머물렀다. 달고 다니던 부상에서는 회복했지만, 더 이상 예전처럼 뛰지 못했다. 마치 성장판이 닫힌 것 같았다. 노력하다 보면 다시 기회는 올 것이라고 믿었지만, 후배가 들어오며 교체 순번마저 점차 뒤로 밀려났다. 주로 주전 선수의 훈련 파트너로 뛰었고, 실전에서는 벤치에 앉아 있는 것이 대부분이었다.

그것도 못 하겠으면 이제 딴 일을 알아봐야 한다고 코치는 입버릇처럼 말했다. 딴 일을 알아볼 필요도 없었다. 곧 졸업을 앞두고 있었다. 아무도 너를 주목하지 않았고, 선수 생활을 계속 이어 가기는 어려워 보였다. 그러므로 지난 대회는 어쩌면 너에게 선수로 뛸 수 있는 마지막 기회였다. 결승에 오르기까지 주전의 부상 등 전력 누수가 많았다.

"그런데 그때 넘어지는 순간, 이제 끝이라고 생각했죠. 정말 다른 길을 알아봐야 한다고."

블랙 러시안으로 간간이 목을 축이며 너는 말을 계속 이어 갔고, 나는 가만히 듣고 있었다.

"축구는 지금도 좋아요. 운동장은 항상 저기 있고, 혼자서라도 가서 마음껏 뛸 수 있죠. 그냥 즐기는 것이라면. 하지만 선수가 되면 오히려 맘대로 뛸 수 없어요. 인정을 받아야 뛸 수 있는 자격이 주어지죠. 잘하지 못하면 경기에 나갈 기회가 줄어들고, 기회가 줄어들수록 기량을 유지하기 어려워요. 좋아해서 시작했는데, 결국 할 수 없게 되는 거죠."

그러므로 너는 다시 돌아가지 않을 것이라고 했다.

그 말을 듣는 순간 나는 너와 눈이 마주쳤지만, 이내 눈길을 피하고 말았다. 어쩐지 그런 결말은 듣고 싶지 않았던 것 같다. 한 잔 더? 대신 침묵의 바텐더와 눈이 마주쳤다. 아니, 이제 그만. 어느 정도 예감은 했지만, 너의 이야기는 내가 바라지 않는 방향으로 흘러가 있었다.

"그런 말 들어봤어요?"

산만한 아이의 주의를 환기하듯 네가 말했다.

"좌절감은 주위에 전염된다는 말."

"아뇨."

들어본 적 없었다. 다시 말하지만, 나는 그런 이야기는 듣고 싶지 않았다. 그럼 어떤 이야기? 나는 스스로 되물었다. 쓰러져도 오뚝이처럼 다시 일어나는 이야기? 아니면, 불굴의 의지로 이뤄낸 인간 승리의 드라마? 그런 영화 같은 스토리를 바라다니, 꽤나 순진한 나 자신에게 놀랐다. 그런 것을 바랄 자격이나 있을까. 좌절은, 피할 수 없다. 네가 쐐기를 박았다.

"차라리 죄다 좌절해 버렸으면 좋겠어요."

아니, 절대 그럴 수 없다고 나는 반발하고 싶었다. 아직 나는 너처럼 무언가를 추구해 본 적이 없었다.

그 무언가를 찾지 못한 채 좌절부터 할 수는 없었고, 무언가를 찾아 간절히 추구한 다음에야 좌절도 받아들일 수 있었다.

어려서부터 원하는 것을 당당하게 주장할 배짱이 없었다. 우유부단하게 적당히 눈치만 살피다 보니 어느새 어른이었다. 그제야 내가 정말 무엇을 원하고 무엇이 하고 싶은지 고민했지만, 갑자기 답을 얻을 리 만무했다. 마치 같은 질문만 되풀이되는 미로 속에서 헤매는 기분이었다. 그렇게 어영부영 시간만 흐르는데, 누가 잠시 머리를 비우고 오는 편이 낫다고 조언했다.

그래서 학교를 휴학했다. 일단 군대를 다녀온 것까지는 좋았다. 성가신 일을 해결하니 홀가분했다. 다만 미룬다고 고민이 저절로 해결되는 건 아니어서, 시간이 흘러 결국 제 자리로 돌아왔다. 게다가 텅텅 비운 머리마저 전방에 두고 온 듯했다. 그래도 무작정 이러고 있을 수만은 없고 (가던 길을 가든지, 새로운 길을 찾든지) 무엇이든 해봐야 하므로, 아직 나는 좌절할 수 없었다.

그러므로 좌절의 전염은 너무 가혹했다. 조금 흥분한 나는 쏘아붙이듯 말했다.

"그런다고 죄다 좌절하진 않아요."

"그런가요?"

혼잣말처럼 대꾸한 너의 말이 차가운 눈처럼 내 마음 위로 내려앉았다. 나는 얼음만 남은 잔을 내려다보았고, 너는 잔 앞에 수북이 쌓인 땅콩 껍질을 손으로 잘게 부수며 말을 이어 나갔다.

"뭐, 그냥 핑계고 투정이죠. 그만한 실력이 없었을 뿐이니까. 다만 포기해야 한다면 그렇게라도 받아들이고 싶어요. 죄다 좌절하니까 나도 그래도 된다고. 그런 기분, 이해하나요?"

나는 대답 대신 이미 바닥난 잔을 한 모금 더 들이켰다. 얼음이 달그락거리며 입술에 와 닿았다.

무슨 말인지 이해는 갈 듯했다. 하지만…… 이대로 괜찮은 걸까? 한 번 더 이겨내 볼 생각은 없는 걸까? 성공하지 못했더라도 이제껏 원하며 걸어온 길인데, 주인공은 될 수 없더라도 조연과 단역으로 끈질기게 버티다 보면……

하지만 섣불리 그런 말을 내뱉긴 어려웠다. 어쩐지 우유부단한 말 같았다. 기꺼이 좌절하겠다고 말하는 너는 이미 그 정도는 고민해 봤을 것 같다. 그래서 과감히 버리고 새롭게 시작하려는 것이다. 그 증거로, 너는 여전히 달리고 있었다. 제대로 좌절해 보지 못한 사람이 보기에도, 좌절한 사람은 그렇게 달리지 않는다. 나는 그런 희망을 품고 되물었다.

"하지만 아직도 매일 밤 뛰고 있지 않나요?"

그러자 너는 나를 똑바로 응시하며 말했다.

"거봐요, 역시 지켜봤잖아요."

달아오른 취기로 붉어진 얼굴을 감출 수 있어서 다행이었다.

"그런 게 아니라, 늘 보이니까요."

나는 거짓말을 하면 티가 나는 편이었다. 어느덧 지켜보았다는 말은 사실이 되었다. 하지만 그렇다고 순순히 인정할 수는 없었다. 너는 개의치 않고 말을 이어 갔다.

"괜찮아요. 나도 뛰다 보면 항상 당신이 보였을 뿐이니까."

"……."

"어쨌든 서로 상관없는 일이에요. 축구를 관둔다는 것과 아직 달린다는 건 말이죠."

"그럼 그렇게 달리는 이유는 뭐죠?"

"그냥 아직은 계속 뛰고 싶어요."

「우드스톡」에서의 대화는 거기서 마무리되었다. 술기운 때문인지 더치페이를 하려는 너를 뿌리친 나는 호기롭게 계산서를 챙겨 자리에서 일어났다.

밖으로 나서자, 새벽 공기가 차가웠다. 동시에 한창 스피커에서 흘러나오던 플리트우드 맥의 《루머스》도 단절되듯 툭 끊겼다. 밴드가 파국을 맞이할 즈음 그런 명반이 나왔다는데, 아마 여느 때라면 끝까지 다 듣고 일어났을 것이다. 이런 대우를 받을 앨범은 아니었다. 다만 나는 평소보다 긴 영수증에 위화감을 느끼면서도, 어떤 기대감에 들떠 있었던 것 같다. 다음에 이어질 이야기는 뭘까, 하고.

하지만 그것은 곧 나만의 착각이었음을 깨달았다. 너는 언제 술을 마셨냐는 듯 멀쩡한 모습으로 그만 가겠다며 말했다.

"다음엔 제가 한잔 사죠. 기회가 있다면."

그러더니 가벼운 목례와 함께 돌아섰다. 나는 잠시 그 자리에 서서 운동복 차림에 더플백을 어깨에 멘 네가 멀어지는 것을 지켜보았다.

다시 조금씩 눈이 내리고 있었다. 어릴 적 아픔을 계기로 축구 선수가 되었고 그 꿈을 무난히 펼쳐나갈 거라고 믿었던 너, 하지만 무엇을 좋아하는 것과 성공하는 것은 다른 일이라는 것을 깨달은, 애착과 노력 그리고 의지만으로 해나갈 수 없는 일도 있다는 걸 알아버린 너, 그래서 모두가 좌절하기를 바랄 정도로 좌절하면서, 그럼에도 계속 달리는 너는, 내리는 눈 사이로 그렇게 점점 멀어져 갔다.

쫓아가 붙들고 싶은 마음이 있었다. 다만 매일같이 달려온 사람의 발걸음은 빨랐고, 망설이는 사이 너는 흔적도 없이 시야에서 사라졌다. 시간의 흐름을 거꾸로 돌려 모든 것이 좀 더 단순했던 시절로 돌아갈 수 없을까.

나도 그만 발걸음을 돌려 집으로 걷기 시작했다. 걸어서 가기에 다소 멀지만, 못 갈 거리는 아니었다. 이 시간에 딱히 다른 방법이 있을 것 같지도 않았다. 운 좋게 택시를 잡을 수 있더라도 할증의 택시를 타느니 다리가 부러지도록 걷는 편이 나았다. 그러므로 나는 눈 오는 길을 묵묵히 걸어갔다.

마침 피할 수 없는 문제와 직면하기에 좋은 기회였다. 아직 아무도 밟지 않은 눈 위에 발자국을 새기며 생각했다. 더는 미적지근하게 굴지 말고 아닌 것은 그만 내려놓아야 한다고, 늘 답을 찾으려 했지만 아무리 해도 보이지 않는 답은 찾지 않는 것도 하나의 답일지 모른다고, 일단 좌절하자고.

그런 생각을 가다듬으며 걷고 또 걸어 끝내 집에 닿았을 때, 나는 현관에서 쓰러지듯 그대로 잠이 들었다. 다리가 욱신거렸지만, 그렇게 깨끗한 잠에 든 것은 오랜만이었다.

일어나자마자 나는 매점으로 전화를 걸었다. 그리고 아르바이트를 그만두었다. 굳이 (돌아갈 생각 없는) 다음 학기가 시작되기를 기다릴 필요는 없었다. 내가 달려야 할 곳으로 가려면, 밤새 운동장만 바라보는 일부터 관둬야 했다.

_계속 달리기

이후로 너에 대해서는 잊고 지냈다. 정신없는 나날이 이어졌거니와 의식적으로 떠올리지 않으려 했다. 가끔 지금도 달리고 있을까 궁금했지만, 그뿐이었다.

여전히 나는 내가 무엇을 원하는지 명확한 답을 찾지 못하고 있었다. 대신 할 수 있는 것부터 시작했다. 일단 재수 학원에 등록했고, 그다음은 천천히 생각하기로 했다. 제대로 배워서 도전하고 싶은 것을 찾아볼 요량이었고, 적어도 떠밀리듯 길을 택하진 않을 작정이었다. 물론 또 실패할 수도 있다. 하지만 시간이 걸리더라도 지금 지나가야 할 터널이 있다는 것을 깨달았다. 다니던 학교는 굳이 자퇴하지 않아도 제적 처리될 예정이었다.

가끔 보드카를 마셨지만, 다시 「우드스톡」에 가는 일은 없었다. 알바 선배로부터 무슨 대회가 열렸고 아르바이트 자리가 났다는 소식을 들어도 신경 쓰지 않았다. 네가 이미 축구 선수가 아니듯, 나 역시 계속 안전요원일 수는 없었다.

네 소식을 접한 건 그로부터 수개월이 흐른 어느 봄날이었다. 겨우내 흘린 상실을 만회하듯 길가에는 벚꽃이 흐드러지게 피어나고 있었다. 하지만 수업을 마치고 학원을 빠져나간 나는 곧장 전철역으로 향했다. 해야 할 일이 태산이었다.

열차가 들어오자, 평소처럼 귀에 이어폰을 꽂은 채 자동문과 노약자석 사이의 틈에 서서 몸을 파묻고, 잠시 눈을 붙였다. 그렇게 한 이십 분쯤 지났을 때, 실눈을 뜨고 안내판을 살폈다. 내릴 역이 가까워지고 있었다.

"다음 역은 ○○○, 내리실 분은 왼쪽입니다."

몸을 일으켜 내릴 준비를 하는데, 건너편 좌석에 스포츠 신문을 펼치고 앉은 아저씨가 보였다. 너는 바로 거기에 있었다. 몇 면인지 모르지만, 가장자리의 사진 속에서 여전히 달리고 있었다. 네가 분명했다. 자연스레 보이는 글귀에 눈이 갔다.

"전국대학육상경기선수권 장거리 신기록 달성, 새

로운 육상 기대주 탄생!"

그리고 너는, 막 골인 지점을 통과하는 새로운 기대주에게서 몇 걸음 떨어진 채 달려오고 있었다. 사진의 포커스는 온통 기대주에 맞춰져 있었지만, 멀리 달리는 모습만으로도 알아볼 수 있었다.

모노크롬 사진 속 얼굴이 다시 피어난 벚꽃 같아 좀처럼 눈을 뗄 수 없었고, 그만 내려야 할 역을 놓치고 말았다. 하지만 그래야 했던 것 같다. 나는 본능적으로 몇 정거장 다음에서 내려 J 스타디움 방향의 열차로 갈아탔다.

역에서 나와 J 스타디움으로 향하는데 그날의 기억이 떠올랐다. 이제는 벚꽃이 쌓여 있지만, 눈 내린 길의 질펀한 감각이 되살아났다.

무작정 오기는 했는데, 입구 앞에 서자 괜한 걸음을 했다는 것을 깨달았다. J 스타디움은 무슨 대회가 한창이었고, 처음 보는 안전요원이 입구를 지키고 서 있었다. 표를 끊고 들어가 볼까도 싶었지만, 단념하고 말았다.

대신 주위를 빙 돌아 매점과 보조 운동장 쪽으로

통하는 뒷문으로 가보았다. 무슨 일인지 그쪽도 입구가 닫혀 있기는 마찬가지였다. 그래도 멀리서나마 안을 엿볼 수 있었는데, 운동장에는 아무도 없었고, 매점 또한 문을 닫은 듯했다.

개운치 못한 마음으로 돌아서는데, 나도 모르는 사이 발걸음은 「우드스톡」으로 향하고 있었다.

오랜만이었다. 얼마나 오랜만이면 들어가자 그런 적 없던 침묵의 바텐더가 반가운 표정을 지어 보였다. 그러더니 자리에 앉자마자 맡겨놓은 장물을 돌려주듯 맥주를 꺼내 왔다. 보드카를 시킬 참이었는데…… 그렇게 말하려던 찰나, 그는 누군가를 가리키듯 바의 반대편 구석으로 눈길을 주었다.

누가 그곳에 앉아 있었다. 누군지 선뜻 알아보지 못했는데, 살짝 어깨까지 내려온 머리칼에 밝은 플레어 원피스, 그 위에 카디건을 가볍게 걸친 차림새에 굽 높은 버클 스트랩 샌들을 신고 있었다.

누구? 하는 표정을 짓자, 바텐더는 앞에 둔 칵테일을 가리켰다. 블랙 러시안이었다. 설마……. 하지만 바텐더는 눈을 찡긋하며 고개를 끄덕였다. 마치 그렇게 말하는 듯했다.

꽤 자주 와.

기억하는 모습과 많이 달랐다. 신문의 사진과도 딴 판이었다. 늘 머리를 질끈 묶고 운동복을 입은 모습만 보았는데, 애벌레가 번데기를 거쳐 나비가 된 듯했다. 하늘하늘 날다가 잠시 이곳에 쉬어 가는 나비. 문득 카사이 키미코와 허비 행콕의 〈버터플라이〉가 듣고 싶었다. 아니면 머라이어 캐리의 〈버터플라이〉도 좋았다. 나비라면 다 어울릴 것 같았다.

나는 자리에서 일어나 파브르처럼 나비에게로 다가 갔다. 그런데 그때였다. 누가 나를 앞지르더니 먼저 네 옆자리에 앉았다. 시베리아 분위기를 물씬 풍기는 사내였는데, 일행인 모양이었다. 나는 그 자리에서 잠시 멈칫했다. 괜히 오도 가도 못할 애매한 상황이 되고 말았다. 좀 더 세련된 방법을 쓸 수 있었다. 가령 기회를 봐서 칵테일을 한 잔 보내며 가볍게 눈인사를 나눈다거나 하는. 하지만 되돌리기에는 이미 늦었다. 나는 너무 가까이 다가가 있었고, 마침 눈이 마주칠 찰나였다.

"아직도 밤마다 달려요?"

나는 먼저 그렇게 물어보았다. 너와 일행의 시선이 동시에 나를 향했다. 잠시 놀란 듯했지만, 너는 이내 미소를 머금더니 조용히 고개를 저으며 답했다.

"아니요. 이제 밤에는 달리지 않아요."

그리고 되물었다.

"당신은…… 아직도 거기서 일하나요?

"아뇨, 관뒀어요."

"그럼, 여긴 어떻게……."

너는 여기를 소개한 사람이 나란 걸 잊은 듯했다.

"그냥 오랜만에 생각나서 들렀어요."

그러자 너는 대수롭지 않은 듯 고개를 끄덕이더니 말했다.

"같이 한잔할래요?"

나는 잠시 너와 앞에 놓인 블랙 러시안을 번갈아 바라보았다. 물론 의례적인 말이라는 건 알고 있었다. 우리가 다시 블랙 러시안을 마실 일은 없었다.

"아뇨, 괜찮아요. 저는 저쪽에……."

"아, 그럼……."

"그럼."

돌아서는 등 뒤로 일행의 목소리가 들렸다.

"누구? 아는 사람이야?"

"아니, 그냥 안전요원."

자리로 돌아오자, 침묵의 바텐더가 안주 삼으라며 두부를 내밀었다. 나는 그냥 주어진 맥주를 마셨다. 그날따라 「우드스톡」은 유달리 조용했다. 그러고 보니 음악 소리가 들리지 않았다. 이곳에 음악이 흐르지 않는 건 처음이었다. 너무 이른 시간인 걸까…… 아직 아무도 신청곡을 적어 내지 않은 모양이었다. 나는 눈앞에 놓인 메모지와 펜을 들고 신청곡을 생각해 보았다. 어떤 곡을 쓰던 자유였다. 하지만 막상 어떤 곡도 머릿속에서 떠오르지 않았다. 이제 〈버터플라이〉는 내키지 않았다.

원하는 것이 무엇인지 모르겠다. 하지만 나는 계속 생각해 봐야 하고, 그것은 너도 마찬가지일 것이다. 그 사이 그쪽의 눈보라는 그쪽에서 불고, 이쪽도 마찬가지일 것이다.

그러다 눈보라가 멈춘 어느 날, 우리는 다시 우연히 만나 서로에게 물어볼지도 모른다.

"당신은, 안전합니까?"

너에게 쓰는 밤에

_편지의 소멸

"편지는 언제부터 사라진 걸까?"

녀석이 막 입에 털어 넣은 술잔을 내려놓는데 내가 말한다.

"편지? 사라지다니?"

"……."

나도 왜 그런 말을 꺼냈는지 모른다. 술기운이 오른 듯하다.

"사라지긴, 그냥 안 쓰는 거지. 근데 그런 건 대체

왜 묻는 건데?"

녀석은 건성으로 물으며 테이블 한편에 2열 횡대로 세워 둔 녹색 병들을 들여다보고 있다. 연료가 다 떨어져 가는 모양이다. 나는 아무 말이나 둘러댄다.

"그냥, 이제 쓰는 사람이 없는 것 같아서."

"무슨 말이야. 군바리 있잖아? 난 그때 꼭 발정 난 수캐처럼 써댔는걸."

"에이, 그런 데프콘 상황 말고…… 평소 말이야."

그러자 녀석은 잔뜩 취한 주제에 진지한 척 다리를 꼬고 손에 턱을 괴더니 말한다.

"당연하지 인마, 지금이 어느 시댄데."

"그래도 다르지 않아? 편지를 쓴다는 건, 좀 다른 의미가 있으니까."

"이 자식이 오랜만에 만나서 뜬금없이 편지 타령이야. 집에 틀어박혀 지내더니 머리가 아날로그가 됐나……. 언제 우리가 그런 거 상관했냐? 그냥 세상 바뀌는 대로 따라가느라 바쁘지."

머리는 원래부터 아날로그였다, 고 하려다가 옆길로 샐 것 같아 관둔다.

"그냥, 가끔 그런 상상을 해. 다시 편지를 주고받는

세상이면 어떨까."

"자슥, 잡스가 비통해하겠다. 정 그러면 메일을 써, 이메일. 난 것두 사양하겠지만."

"레이 톰린슨이야."

"뭐가?"

"이메일, 처음 만든 사람 말이야. 잡스는 그냥 있는 재료 잘 버무린 사람이고."

녀석은 못 이기겠단 듯 도리질 치며 말한다.

"알았어, 인마. 하여간 깐깐하기는. 어쨌거나 그럼 이따가 편지 잘 쓰시고, 간만에 만났는데 술이나 처마셔!"

그러더니 녹색의 시체 더미 속에서 용케도 생존 병을 찾아낸 녀석이 그 주둥이를 내게로 기울인다. 내 말투가 386 컴퓨터처럼 답답하다면, 녀석은 입이 걸기로 소문난 친구다. 어쩌다 우리가 친해졌는지 모르지만, 각자 하자가 있으니 되려 어울리는 면이 있다. 게다가 녀석은 가끔 (의도한 건 아니겠지만) 바른말을 하나씩 툭 던지곤 한다.

이따가 쓰고, 일단 술이나 마시자.

얼마 후 술자리가 파하고, 녀석과 나는 전철역으로 향한다. 나는 일부러 평소와 다른 노선의 개찰구로 방향을 튼다. 원래대로 몸을 던지면 바로 집 앞까지 가지만, 조금 걷고 싶다. 딱히 급할 일도 없으니, 술이나 깰 겸 집에서 좀 떨어진 곳에 내릴 작정이다. 혹 심란할 일이 있을까? 아니, 그런 건 없다. 오히려 녀석을 만나 한결 마음이 편해졌다고 해야겠다.

어젯밤 집으로 녀석의 전화가 왔다. 쇠뿔도 단김에 빼듯 바로 약속을 잡았는데, 약속이 잡혀 버렸다는 표현이 맞을 것 같다. 녀석은 그렇게 해야 억지로라도 불러낸다는 것을 잘 알고 있었다.

(어머님 안녕하세요. ○○ 친구, ○○입니다.)

"어, 그래. 오랜만이네."

(○○ 돌아왔나요?)

"그럼."

(어머님께서 참 맘고생이 많으셨네요.)

"말도 마라."

거실에서 들려오는 불길한 대화를 감지하고 나갔을 때는 이미 늦었다.

(○○ 지금 집에 있나요?)

"있지. 잠깐만 기다려라."

그리고 어머니는 '지금은 부재중'이라는 나의 수신호(온몸으로 엑스자를 그렸다)를 완전히 무시한 채 바로 수화기를 건넸다. 있어도 있는 게 아니라며 얼굴을 찌푸려 봤자 소용없는 짓이었다. 밖에도 나가고 사람도 좀 만나라는 의미였다. 전화를 받자마자 녀석이 말했다.

"살아있네!"

그럼 죽냐? 고 하려다가 참았다. 녀석은 어떻게 돌아와서 보고를 안 하냐, 섭섭하다며 핀잔을 늘어놓더니, 핸드폰 번호부터 알려달라고 했다. 없다고 하자, "인마, 핸드폰도 아직 없냐?"고 황당하다는 반응을 보였다. 언제는 '빅 브라더'가 어쩌고 했던 녀석이다.

없다 인마. 뭣하러 내 몸에 GPS를 심냐, 는 말을 꺼내려다가 그냥 삼켰다. 녀석은 연락이 없어서 혹시 무슨 일이라도 있는지 걱정했다는 빈말을 건넸다. 나도 아니, 괜찮다. 그래도 너밖에 없다는 빈말로 응수했다. 어쨌거나 고마웠다. 말투가 거친 것만 빼면 세상에 그만한 놈이 없다. 그렇다고 감동할 것까진 없는 이유는 결국 술 고프다는 얘기. 코가 삐뚤어질 정도로 마시며 넋두리나 늘어놓자는 것이었다.

아무튼 그런 녀석을 만나 대뜸 편지 같은 소릴 해
댔으니, 좀 수상쩍다고 여겼을지 모른다.

"야, 넌 이거 타고 갈 필요 없잖아."

"그냥 좀 걷고 싶어서."

"아주 생쇼를 한다."

환승역이 다가오고, 곧 내릴 녀석이 묻는다.

"무슨 일 있는 건 아니지?"

"……."

귀찮아서 무시하는데, 녀석은 제멋대로 상상한다.

"뭐, 말 못 할 사정이 있겠지."

"아냐, 그런 거 없어."

"인마, 그렇게 혼자 꿍한다고 되냐?"

"……."

역시 답하기 귀찮다.

"아무튼 언제고 연락해. 형이 들어줄 테니까."

또 술 마시자는 거겠지. 너 같은 형은 둔 적 없다
고 하려다가, 나는 그냥 좋게 넘어간다.

"고마워 형, 형이 한잔 사는 거지?"

녀석과 헤어지고 생각한다. 그나저나 편지…… 새삼 그런 건 왜 떠올렸을까. 사실 편지를 써서 좋은 기억은 별로 없다. 일단 어린 시절, 좋아하는 애한테 큰맘 먹고 편지를 보냈다가 거절당하고, 잔뜩 소문만 퍼진 기억이 난다. 그땐 정말이지 제대로 망신살이 뻗쳤다.

"너 걔한테 편지 썼다며?"

아직도 그 말에 얼굴이 빨개진다.

그 후로 한동안 편지 쓰기는 금기 사항이었다. 절대 쓰지 말자고 다짐했었다. 하지만 나는 돌아서면 까먹는 놈이라, 그럴 기회가 생기자마자 부끄러웠던 일은 까마득히 잊고 또 편지를 쓰기 시작했다.

문제는 섬이었다. 주어진 의무라더니 아예 섬으로 보냈는데, 꽤 오랫동안 머물게 되었다. 섬이라 누가 찾아오기 어렵거니와(물론 올 사람이 있다는 게 아니라 순전히 그럴 가능성일 뿐이지만), 고립되었다는 느낌에 공연히 더 그립고 외로운 느낌이었다. 그래서 무진장 편지를 썼고…… 또 망신당했다.

한번은 누군가의 편지를 받고 답장했는데, 알고 보니 함정이었다. 내가 그리운 익명의 후배라며 편지를 보낸 뒤 답장하는지 내기했고, 답장이 오자 돌려보며 키득거린 것이다. 두고두고 놀림거리가 될 것이 뻔했다. 하하하, 재밌다. 썩은 동아줄이라도 잡으려는 여린 순정을 갈기갈기 찢은 편지의 기억. 그래도 그 편지는 누가 웃기라도 했다.

너에게 보낸 편지는 아팠다. 나는 섬에서 너에게 편지를 썼다. 답장을 받았을 때 무척 기뻤고, 섬에서 따로 할 수 있는 일은 없었다. 다시 편지를 썼다. 매번 답장이 오지는 않았지만, 때때로 오는 것만으로 충분했다. 아무래도 바깥세상은 바쁠 테니까. 하지만 답장의 횟수는 줄더니 곧 뜸해졌고, 이내 아무런 답장도 오지 않았다. 뼈저리게 아팠다. 그럼에도 또 편지를 쓸 수밖에, 다른 방법은 없었다. 너무 그리운 것이 죄였다.

그래도 그때는 다들 편지를 썼다. 어느 순간 편지는 과거의 수단과 방식으로 도태되었고, 우편함은 감흥 없는 인쇄물과 고지서로만 가득 채워졌다. 물론 녀석의 말대로 이제 이메일을 쓰면 되지만, 손에 잡히지 않는 무언가로 편지를 대신하는 것은 편리할지언정, 어쩐지 가볍게 느껴진다. 편지는 느려서 애탔고

번거로운 만큼 무거웠다.

＿몽중夢中 보행

집에서 거리가 있는 역에서 내려 밖으로 나선다. 일교차를 예상했는데 날씨는 의외로 따뜻하다. 얼마 전까지 밤은 선선했는데, 사방이 봄의 이른 소멸을 예고하는 듯하다. 역시 좋은 계절은 금방 지나가는 걸까……. 혹은 오랜만의 외출이라 계절 감각이 둔해졌는지 모른다. 아무튼 나는 입고 있던 점퍼를 벗어 손에 쥔다. 걷다 보면 더워질 것이다.

큰 사거리의 횡단보도를 건너 근처 호숫가의 산책로를 따라 걷는다. 그 끝에서 열 시 방향으로 다시 길을 건너 약간의 경사로를 직진하면 된다. 이 정도는 무난한, 가벼운 마음으로 걷기에 좋은 거리다. 이렇게 밤거리를 걷기도 오랜만이다.

지난번에는 아주 먼 길을 걸었다. 그때는 겨울이었고, 마지막 휴가를 받아 잠시 섬에서 나왔을 때였다. 저녁 무렵, 시외버스 터미널에서 걷기 시작해 집까지 밤새도록 걸었다. 어둠을 빌려 무엇을 토해내려 했는지 모르지만, 발이 닳도록 걸으며 연신 차갑고 하얀 숨을 토해냈던 기억이다.

다시 섬에 돌아가야 하기 때문은 아니었다. 그 또한 닳고 닳은 레퍼토리이기는 했지만, 어느덧 섬 생활도 막바지에 이르러 있었다. 그렇다고 벌써 섬 이후의 일을 걱정하기에도 일렀다. 고민이 없지는 않았지만, 일단 섬부터 벗어나고 봐야 했으니까, 밤새 발이 닳도록 걸을 이유는 아니었다.

물론 그날 걷기 전까지의 일은 선명하게 기억한다. 그날 하루, 나는 네가 사는 곳을 다녀오는 길이었다. 이번에는 어떡하든 너를 만나고 싶었고, 아침부터 부지런히 움직였다. 귀한 시간을 쪼개 쓰는 것이었지만, 속으로는 연신 콧노래를 흥얼거렸다. 정말이지 설렜다. 다만 가는 길까지만 그랬다.

미리 연락이 닿지 않은 발걸음이었다. 편지에 답장

이 없었고 전화를 걸어도 받지 않았다. 당연하지만 그렇게 해서는 좋은 결말이 기다리고 있을 리 만무했다. 그럼에도 너에 대한 걱정과 그리움이 더 앞섰던 것 같다. 잘 지내고 있기를 바라며 단순히 희망하기를, 단지 그곳에 가면 만날 수 있을 거라고만 여겼다. 어느덧 나는 순박한 섬사람이 되어 있었다.

그렇게 목적지(편지의 주소)와 가까운 곳까지 가서 공중전화를 걸었고, 비로소 너와 연락이 닿았다. 밝은 목소리로, 근처에 있다고 했다. 그런데 돌아온 반응이 싸늘했다.

"이런 식으로 찾아오지 말아줘."

혹은 "이런 식으로 찾아오면 곤란해." 아니면 "이런 식으로 찾아오면 어떡해."라고 했던가? 잘 기억나지 않는다. 어쨌든 큰 차이는 없다. 싫다는 의사표시였고, 강한 거부감이 느껴졌다. (고생하니까) 차마 말하지 못했는데 이제 그런 식으로 계속 연락하지 않기를 바란다고도 했던 것 같다. 아마도 '그런 식'이란 편지를 뜻하는 듯했다.

"하하하."

나는 마지막까지 웃음을 잃지 않으려 애쓰며, 알겠

다고, 몰랐다고, 미안하다고 말한 뒤 전화를 끊었다. 그게 최선이었다. 그럴지언정 마지막까지 웃는 사람이 승자라는 것은 틀린 말이었다. 승자는커녕 미치지 않고서야 누가 그런 상황에 웃을까, 속도 없는 놈이 되었을 뿐이다.

아무튼 그것으로 끝이었다. 나는 어쩔 도리 없이 발걸음을 돌렸다. 그나마 아직 돌아가야 할 섬이 있으니 다행이었다. 어떻게 견뎠는데, 다 된 밥에 재 뿌릴 수 없으니까. 아니면 당장이라도 어디서 대가리를 처박고 싶은 심정이었다.

그래서 밤새 걸었을까? 인정하기 싫다. 그런 일로 무작정 그 먼 거리를 걸었다니, 화가 나고 자존심이 상한다. 하지만 다른 이유를 대기가 어렵다.

그날 발이 퉁퉁 붓도록 걸은 나는 곧 섬으로 돌아갔고, 얼마 지나지 않아 무사히 섬에서 풀려났다. 마지막으로 섬을 나오며 침을 한 번 뱉었던 기억이다. 집에 돌아가자, 스팅이 온몸에 다시 침을 묻혀 주었다. 스팅은 우리집 강아지인데, 분양을 간 형제가 다시 돌아온 기분인 듯했다.

그 뒤로는 한동안 방에 틀어박혀 지냈다. 다들 핸드폰을 개통하는 분위기였지만, 나는 그럴 필요성을 느끼지 못했다. 뒷주머니에 넣고 다니면 폼은 나겠지만, 연락할 사람도 없으면서 품위 유지용으로 쓰기에는 비싸고 요금이 아까웠다. 해서 뭐하나⋯⋯. 다 쓸데없게 느껴졌다.

그러고 보니, 그동안 내 머릿속은 온갖 공상으로 가득했던 것 같다. 편지도 그런 맥락이다. 사람들이 다시 편지를 쓰면 좋겠다고 생각했다. 많이 쓸 필요 없이 써야 할 용무가 있거나 꼭 쓰고 싶은 사람에게만, 성급하게 답하지 않고 차분히 생각을 가다듬어 정성껏 신중하게 쓰면 좋겠다. 내키지 않으면 굳이 쓰지 않아도 된다. 서두르거나 강요하지 않고 느리지만 애타는 마음으로 기다렸던⋯⋯ 물론 이런 말을 하면, 낡아서 그렇다고 할 것이다.

다만 내가 실현될 가망이 없는 그런 낡은 생각에 사로잡히는 것은, 그만한 여지를 두고 싶은 바람일 것이다. 재깍 보내고 받으면 빠르고 편리해도 여지가 없어진다. 어제 녀석만 해도 그랬다. 다짜고짜 전화해서는 전혀 여지를 두지 않았다.

"알았지? 내일 저녁이다. 안 나오면 죽는다. 거기
로 나와!"

죽는다는데, 나가기 싫어도 어쩔 수 없는 노릇이었
다. 그 결과, 이렇게 취해 또 걷고 있다.

"죽여, 그냥 죽여⋯⋯."

고요한 밤거리, 무심결에 내뱉은 중얼거림에 마침
곁을 지나쳐 가던 사람의 발걸음이 빨라진다. 나라도
그럴 것 같다. 모르는 사이 혼잣말을 하는 경우가 잦
아졌다. 그러고 보니 이 길은 늘 취해서 걷는다. 취하
니까 자꾸 중얼거리고, 헛된 생각에 빠진다. 그리고
상상 속에서 이제 딱히 보낼 곳 없는 편지를 쓴다.
'받는 사람'은 우선 비워두고⋯⋯.

"꼭 그래야 했어?

너를 찾아간 날, **너의 무덤** 앞에서 좀처럼 돌아설 수
없었어. 그만 가야 할 이유가 없었더라면, 아마 돌아서
기 어려웠을지 몰라. 미귀(未歸)나 탈영이란 말도 남 얘
기가 아니었겠지. 무언가에 홀린 사람이 그렇잖아. 예기
치 못한 사이, 그런 일에 휘말릴 수도 있겠다 싶더라.

어떻게 전철을 타고 어떻게 내린지 기억에 없어. 단지 지금 이 길을 걸었던 것만은 분명해. 다른 길은 없으니까, 반짝이는 별빛처럼 선명한 기억이야. 집에 돌아오니 많이 늦었는데, 썩을 것 같은 다리는 생각하지 못하고 어쩌면 그런 게 필요했지 싶더라. 설령 스스로에 대한 학대에 가깝더라도, 육체의 고통으로 정신적 슬픔을 씻어내는 거라고. 한심하지?

사실 처음에는 네가 매몰차다고만 생각했었어. 네가 그만하라고 했을 때…… . 하지만 결국 아무것도 모르면서 혼자 그랬던 거야. 지금 돌이켜 보면, 무척 성가셨을 것 같아. 고민 많고, 마음 아픈데, 자꾸 엉뚱한 사람이 귀찮게 하니까. 지금이라도 미안하다고 전할 수 있으면 좋을 텐데.

네가 그렇게 가고…… 내가 얼마나 한심하게 여겨졌는지 몰라. 한동안 정신없이 지냈어. 되도록 바쁘게 지내려고 했지. 그러면 마음을 추스르는 데 도움이 되리라 믿었어. 하지만 아니더라. 그럴수록 마음의 멍이 시퍼레지더라. 그리고 어느 날 문득 눈물이 주르륵 흐르는데, 슬프더라. 미치도록 아프더라."

'상상 편지'는 거기서 멈춘다. 너무 신파조다. 게다

가 **너의 무덤**이라니 얼토당토않은 설정이다. 실상은 멋대로 질퍽대던 나에게 너는 질려 버렸고, 지금쯤 다른 사람과 잘 지내고 있을 것이다. 평소 네가 형이라고 부르던 그 사람과 말이다. 그런 느낌이 든다.

그러니까 솔직히…… 악감정은 있다. 그러니까 네가 죽었다는 상상의 편지를 쓴다. 정말이지 치졸하기 짝이 없다.

멀리 익숙한 골목길이 눈에 들어온다. 거기로 들어가 계단을 오르면 집이 나온다. 역시 무난한 거리다. 이제 조금만 더 가면 된다.

그런데 (취기 때문인지 오랜만에 걸은 탓인지) 얼마 가지 않아 갑자기 다리가 후들거린다. 순간 몸을 휘청이고, 마침 길가 의자에 앉아 그 모습을 본 노인이, 젊은 놈이 참! 하는 표정으로 혀를 끌끌 찬다. 그게 아닌데 억울하다. 그렇다고 빨리 노인의 시선을 벗어나고 싶어도 그럴 수가 없다. 발걸음이 영 시원찮다.

불쾌해진 나는 겁 없이 중얼거린다.

"너무 그러지 마세요. 모르시지만, 이유는 얼마든 있습니다."

본인은 소싯적에 이런 일이 없었을까…… 따져 묻

고 싶은 기분이다.

그러자 노인이 묻는다.

'그래서…… 이유가 뭔가?'

막상 할 말이 궁색해진다. 말하면 겨우 그 때문이 냐는 표정으로 노인이 바라볼 것 같다. 하지만 맞다. 그래서 멀쩡한 사람을 망자로 둔갑시킨 편지를 상상하며 다리가 휘청이도록 걷고 있다. 말할수록 구차하기 짝이 없지만, 그게 이유다.

그래서 뭐 어떠냐는 듯 고개를 돌려보지만, 이미 노인은 온데간데없고 그 자리에는 의자만 덩그러니 놓여 있다.

자꾸만 퍼지는 두 다리를 조신하게 모아 걸으며 하늘을 향해 고개를 든다. 마치 세상의 슬픔을 한 몸에 담듯. 그런 작위적인 행동(연기)을 한다는 것 자체로 어쩌면 진짜 슬픈 건 아니지 않을까도 생각해 본다. 그러므로 괜찮다는 논리가 성립될 수 있을까? 하지만 고통을 연기로 승화할 정도라면 배우가 되어야 했다.

오늘따라 하늘에 걸린 달이 몹시 맑다. 이런 밤, 베타 모양으로 휘청이며 걷는 건 슬프지만…… 귀하다. 곧 쳇바퀴 도는 일상으로 돌아간다. 하루하루 욕망을 좇고 결락을 메우느라 여념이 없는 사이, 달밤의 운치를 느끼긴 좀처럼 어려울 것 같다. 밤에 술을 퍼마시긴 하겠지. 때때로 노래방까지 끌려가 서른도 안 됐는데 〈서른 즈음에〉를 불러 분위기를 우울하게 만들고, 〈금지된 사랑〉을 발악하듯 불러 다들 질리게 만들겠지. 하지만 거기에 낭만은 없을 것 같다. 그러므로 언제 다시 이런 날이…….

'누가 금지했는가?'

다시 누가 말을 건다. 소리가 나는 곳을 바라보니, 아까 그 노인이다. 계단으로 이어지는 골목길 초입에 의자를 놓고 앉아 있다. 언제 여기까지 따라온 것일까……. 노인이 말한다.

'뭘 그리 심각해. 그 나이는 아직 만회할 기회가 많아. 물론 어떤 순간은 한 번 지나가면 다시 오지 않지. 그럼, 한번 생각해 보게. 지금이 그 순간인지, 아니면 앞으로 수없이 겪을 순간의 하나일 뿐일지. 그것도 알 수 없다면, 지금 자네가 직면할 건 아무것도 없어.'

납득하기 어렵다. 노인은 겪어 본 자의 지혜라고

말하지만, 만약 젊은 시절의 노인이 지금의 나라도 '그 순간'을 알아볼까? 결국 모르니까 깨닫고 겪어야 쌓이는 것이 지혜라면, 막상 '그 순간'은 취해서 밤새 걷는 것밖에 달리 할 수 있는 것이 있을까.

'그러니까 지혜를 좀 배우란 걸세!'

그러나 배운다고 지혜로울 수 있다면, 지금쯤 이 세상은 낙원이어야 한다. 아무리 현자라도 항상 지혜로울 수만은 없다. 반드시 실책을 겪는다. 엉망이 될 것을 알면서도 시궁창에 뛰어든다.

'거참 더럽게 말 안 듣는구먼.'

원래 고집이 좀 센 편이라며 노인을 돌아보는데, 그곳에는 또다시 의자만 놓여 있을 뿐, 노인은 어디에도 없다.

부디 모든 것이 환각은 아니기를.

계단을 오르자 숨이 차오른다. 평소 수없이 오르내리는 길이라는 게 믿기지 않을 만큼 힘에 부친다. 손에 잡힐 듯 분명한 기억을 붙들어 본다.

섬으로 가기 전, 소중한 나와 이별 여행을 떠났다 (대충 혼자란 얘기다). 막간에 찾아올 지루함을 달래기 위해 불륜 소설을 한 권 배낭에 넣어 갔는데, 그 책을 읽다가 너와 만났다. 말하자면, 누구와 만나도 금방 사랑에 빠질 준비가 되어 있었던 셈이다.

여행하며 마주치는 모두에게 호감을 느끼는 건 아니지만(?), 나는 너에게 끌렸다. 아니, 분명 우리는 서로에게 끌렸다, 고 믿는다. 나는 엘레나를 처음 본 토토[3] 같은 표정이었고, 너도 제시와 마주친 셀린[4] 같은 미소를 지어 보였다. 우리는 짧지만, 그냥 흘려보내기 아쉬운 시간을 함께하기로 했다. 그렇게 하면 경비가 절약된다는 것이지만, 아무에게나 그럴 리는 없었다.

좋은 시간은 속절없이 흘러갔다. 이후 각자 가야 할 길은 달랐지만, 서로의 목적지에 관심을 보였고, 그곳에 다다르면 서로에게 엽서를 쓰기로 준세이와 아오이[5]처럼 약속했다. 약소쿠스루約束する……. 그런 다음 각자의 길을 떠나는데, 그 '약속'이란 낱말이 유난히 특별하게 느껴졌다. 시간이 지날수록 아쉬움과

---

3) 영화 〈시네마 천국〉의 등장인물.
4) 영화 〈비포 선라이즈〉의 등장인물.
5) 소설 및 영화 〈냉정과 열정 사이〉의 등장인물.

그리움의 감정으로 북받쳤던 기억이다. 그냥 같은 길로 갔으면 어땠을까…….

하지만 돌아보지 않고 꾸역꾸역 앞으로 나아갔다. 이미 지나간 일보다 '약속'이 중요했다. 여정이 순조롭지만은 않아 한 달에 가까운 시간이 걸린 끝에야 목적한 곳에 다다랐고, 나는 (오늘 같은) 달밤을 머리 위에 걸어놓은 채 비로소 엽서를 쓸 수 있었다. 엽서는 말 그대로 엽서니까 간결한 글만 보태야 제격이지만, 그날 밤 나는 무척이나 촉촉해져 있었다. 너는 이미 내 마음속에 다져진 무언가였고, 달에 이끌리듯 써 내려간 엽서는 엽서라기보다는 편지에 가까워져 있었다.

(나중에야 알게 된 사실이지만) 한편 너는 끝내 목적지에 다다르지 못했다. 경황이 없어 엽서에 대해서도 까마득히 잊고 있다가, 여행에서 돌아와 내가 보낸 엽서를 받고서야 반가워 연락했다.

하지만 이제야 생각건대, '약속'은 그냥 빈말이었고 나를 떠올린 적도 없지 않았을까 싶다. 그렇다면 나는 혼자 소설 쓰고 있었던 셈이다. 스쳐 가듯 각자의 길로 떠났을 때, 이미 너는 허구의 인물이었을지도……

불쑥 그런 말이 머릿속에서 떠오른다.

"어려서부터 멜로를 너무 많이 봐서 그래."

물론 그것을 인정할 리 없던 그때의 나는, 가져간 불륜 소설의 한 구절이 자꾸만 마음속에 맴돌았던 기억이다.

"애매함으로 둘러싸인 이 우주에서 이런 확실한 감정은 단 한 번만 오는 거요. 몇 번을 다시 살더라도 다시는 오지 않을 거요."6)

이제는 증오하는 구절이다.

후회는 없다. 어쨌든 그것이 계기였으니까. 엽서가 편지가 되고 편지는 '허구의 인물'을 주인공으로 한 소설이 되어 가는 사이, 무언가를 쓴다는 행위는 어느덧 내 일상의 중요한 일부가 된 듯하다.

어설프지만, 사실 섬에서 소설을 쓰기 시작했다. 굳이 말하면 '유배지 통신'류의 잡지에 기고한 셈인데,

---

6) 소설 《매디슨 카운티의 다리》에서 주인공 로버트 킨케이드의 말.

편지를 쓴다며 맨날 글을 끄적이니까 누가 한번 써보라고 권했다. 몇 편 쓰다가 취지에 맞지 않는지 연재를 급히 마무리하기는 했지만, 꽤 (섬에서 머무는 동안 유일하게) 즐거웠고, 계속 써보고 싶다는 생각이 들었다. 일찍이 그런 일과는 무관했는데, 나도 모르는 사이 그렇게 되었다.

특별한 재능이 있는 걸까? 잠시 그런 착각도 했다. 무슨 일이든 꼭 처음부터 정석대로 제대로 된 코스를 밟아 진지하게 파고든다고 되는 건 아니니까. 하지만 금방 깨달았다. 그건 아니구나. 그래도 글의 좋은 점이라면, 어쨌거나 계속 쓸 수 있다는 것이다. 써보지 않는 한 모르지만, 한 번 써보면 또 쓸 수 있다. 단번에 잘 쓸 순 없지만, 계속 고쳐 쓸 수는 있다. 글로 쓴 성을 지어 나만의 왕국을 만들어 가는 것이다.

앞으로 뭐할 거냐는 말에 언뜻 그런 생각을 내비치자, 아까 녀석이 말했다.

"네가 소설을 쓴다고?"

"뭐, 꼭 그런 건 아니지만……."

"야, 그러기엔 네가 이야기꾼은 아니지 않냐?"

평소 내 얘긴 하나도 재미없던 녀석이니, 당연한

반응이다. 응원해 줘도 이상하다. 글은 결국 혼자 쓰
는 거니까, 그냥 곁에 노트와 펜만 있으면 된다.

_왕국의 구상

집에 들어가니 이미 새벽이다. 모두 잠들어 있겠거
니 조심스레 현관을 열자, 스팅이 비몽사몽 비틀거리
며 나온다.

너밖에 없다. 졸린 꼬리를 고장 난 와이퍼처럼 흔
들며 가만히 올려다보는 스팅을 쓰다듬으며 곧장 방
으로 들어간다. 혹시나 해서 빼꼼히 방문을 열어둔
채 오라고 손짓해 보지만, 패키지에 포함된 서비스는
거기까지. 스팅은 따라 들어오지 않는다.

조용히 방문을 닫고 스탠드를 켠다. 스탠드 불빛은
안개처럼 흐리다. 창으로 그 안개가 맺혀 여러 겹 반
사된 조형물을 그려 놓는다. 그밖에 모든 것이 그대

로다. 전날 나가기 전과 동일한 방. 옷을 갈아입고, 미니 컴포넌트와 연결된 턴테이블의 바늘을 내린 뒤, 책상에 앉아 헤드폰을 머리에 쓴다. 그제야 약간의 차이를 발견한다. 푸치니의 《투란도트》가 걸려 있다. 아마도 내가 없는 사이 어머니와 스팅이 들은 듯하다. 〈공주는 잠 못 이루고〉[7]…… 나도 잠 못 이룬다.

그럴싸한 아이디어가 하나 떠오른다. 그래, 왕국에는 공주가 필요하다.

공주는 어머니를 일찍 여의고, 공사다망한 아버지는 적국과 내통한 계모의 계략에 빠져 숨지고 만다. 계모의 박해를 받던 공주는 죽음의 위협 속에 겨우 목숨을 부지한 채 추방당하고, 다시 돌아와 왕국을 되찾기까지 힘겨운 여정에 나선다. 우주를 배경으로 마법사도 등장하고, 난쟁이 종족도 나오면 좋겠다. 먼 길을 떠나는 판타지 모험극에 실제 중세의 역사를 좀 버무려 스펙타클하게 그리는 거다.

---

7) 원래 제목은 〈아무도 잠들지 말라〉로 자코모 푸치니의 오페라 《투란도트》에 나오는 아리아 중 하나다. 흔히 〈공주는 잠 못 이루고〉로 잘못 알려져 있다.

그런데 아이디어를 노트에 옮겨 적다가 풀이 죽고 만다. 좀 그렇다. 어디서 본 내용이다. 하긴 이런 상황에 제대로일 리 없다. 떠오를 때는 그럴싸하지만, 번뜩임은 신기루처럼 순식간에 사라진다. 어떤 작가가 인터뷰에서 그랬다. 문득 떠오른 걸 메모해 봐야 소용없다고. 떠오를 땐 근사하지만, 정말 근사한 아이디어는 굳이 메모하지 않아도 글이 되어 나오기까지 내내 마음에 머무는 법이라고.

지금 무언가를 하는 건 의미가 없다고 여긴다. 글을 쓰지 않으면 백수니까, 죄책감을 덜기 위해 쓰지만, 오늘 취해서 일필휘지로 쓴 글은 내일이면 지우기 마련이다(그래서 지금 쓰는 이 글도 상당 부분 지우고 다시 쓴다). 그만 펜을 내려놓고 쓰던 노트를 덮은 뒤, 의자에 기대어 몸을 뒤로 젖힌다. 피로하다. 하지만 잠은 오지 않는다. 내 안의 무언가는 계속 깨어 있고 싶은 듯하다.

이럴 때는 차라리 책을 읽는 편이 낫다. 수면제 대신이다. 침대에 누워 가까이 협탁에 덮어놓은 책을 펴고, 마침 거기 보이는 한 구절을 작게 소리 내어 읊어본다.

"옛날에 어떤 사람이 있었대요. 그는 어느 8월 오후에 심한 갈증을 느꼈지요. 그래서 갈증을 해소할 길이 없을까 연구하다가 맥주를 발명한 겁니다. 맥주는 바로 그렇게 만들어졌고, 갈증은… 해소되었죠."

갈증을 느낀다. 그렇게 마셨는데 왜 맥주 생각이 나는지 모른다. 혹 내가 느끼는 갈증은 다른 것일까? 문득 네가 생각나지만, 그런 '허구의 인물'이 사는 왕국은 더 이상 존재하지 않으므로 나는 타이르듯 내게 말한다.

"내가 구해야 할 공주는 어디에도 없어."

어느새 아침이 뿌옇게 밝아온다. 꼬박 밤을 새우고 말았다. 또 하루가 시작되려는 지금, 나처럼 불면인 사람들…… 어떤 생각에 젖어 있을까? 그런 부질없는 상상과 함께 고요한 새벽은 지나간다.

다시 눈을 뜨자 내 옆구리에 몸을 붙이고 있던 스팅이 다가와 뺨을 핥는다. 나도 모르는 사이 잠든 모양이다. 벽시계는 벌써 오후 두 시를 가리키고 있다.

나는 장난스레 녀석의 **뺨**을 물고 방귀 소리를 낸다. 인마, '굿-애프터눈'이다.

가족들은 이미 각자의 볼일로 '성'을 비운 뒤다. 모르는 사이 방문과 창은 활짝 열려 이른 여름의 향기를 맞아들이고 있다. 물을 마시러 부엌으로 가자, 가스레인지에는 식은 콩나물국이 기다리고 있다. 면목이 없다. 다 큰 자식이 밤새 술을 마시고 다음 날 오후에나 일어났는데, 이런 배려는 나를 더욱 불효자로 만든다.

갑자기 머릿속에서 누군가 악을 지른다. 간만의 외출과 과음이 남긴 피로의 앙상블이다. 얼른 국과 냉장고의 얼린 밥을 데워 국밥으로 주섬주섬 삼킨다. 너만 먹냐는 눈빛으로 보는 스팅의 간식도 챙긴다. 그런 다음 싱크대에 석탑처럼 쌓인 그릇을 하나씩 닦기 시작한다. 내가 지불할 수 있는 밥값이다. 그사이 끓은 물에 커피와 설탕을 적당히 섞어 각성제를 만든다. 프림이 보이지 않아 어떻게 할지 조금 고민하다가, 대신 우유를 넣고 만다. 낭패다.

다시 방으로 돌아와 자리에 앉는다. 일상으로 돌아가려면 지금부터 슬슬 준비해야 하지만, 막상 펼치는 것은 간밤에 덮어둔 노트다. 사이에 끼워둔 펜을 들고 무언가 떠오를 때까지 관자놀이를 누르며 기다린다. 삼면이 만나는 벽 귀퉁이를 멍하니 바라보는데, 문득 거기서 악령이 나타나는 상상을 한다. 공포물을 한번 써보고 싶기는 했다. 일인칭 시점의 자전적 형태로 쓰면 어떨까.

가령, 주인공 '나'는 한동안 '섬'으로 떠나게 된다. 정해진 기간이 아주 길지는 않으므로, 오랜 연인 사이인 '너'와 떨어져 지내는 동안 서로에게 '편지'를 쓰기로 한다. 전화나 메시지는 말고 편지만을 주고받기로 한다. 그것으로 옛 추억을 떠올리며 둘 사이에 식어가던 무언가를 되살릴 수 있다고 생각한다.

처음에는 별문제 없이 편지를 주고받는다. 하지만 어느 날부터 너의 답장이 끊기는데, 바쁜가 싶어 대수롭지 않게 여기다가 계속해서 답장이 없자 불길함을 느낀다. 메시지를 보내고 전화를 걸어도 소용이 없다. 메시지는 읽지 않고, 전화는 음성 사서함으로 넘어갈 뿐이다.

나는 섬에서의 일정을 중단하고 서둘러 돌아간다.

하지만 너는 이미 감쪽같이 사라진 다음이다. 행방을 찾아 수소문해 보지만 만족할 만한 답을 얻지 못한다. 주변 사람들도 의아해 하기는 마찬가지다. 경찰 또한 어떻게 된 일이냐며 오히려 나를 의심한다.

그러다가 한가지 섬에서 전해 들은 오싹한 이야기를 기억해 내는데, 그것은 바로 '편지의 저주'다. 누군가 편지에 저주를 내리면, 잉크가 악령처럼 살아나 읽는 사람을 빨아들이는 것이다. 만약 나의 편지에 누군가 저주를 내렸고, 그 편지가 너에게 전해졌다면…… 순간 잉크가 너의 몸을 파고들며 비명을 지르는 장면을 상상한다.

결국 원인은 나다. 내 탓이다. 잠시 섬에서 있었던 일을 회상한다. 나는 떠맡은 업무상 누군가의 집을 압류한다. 정당한 권리 행사지만, 나도 모르는 사이 한 가정을 사지로 내몰고 만다. 그리고 그 유가족 중 한 명이 내게 원한을 품는다. 그는 섬의 집배원으로 나의 편지를 가져가 저주를 내린다.

마지막으로 나는 너의 집으로 향한다. 거기서 저주받은 나의 편지를 발견한다. 봉투 밖으로 나와 있는 편지지는 살짝 접혀 있다. 너는 그 속에 갇혀 있는 것이다. 나 때문에…….

나는 자리에 앉아 가만히 편지를 펼쳐 본다. 그러자 잉크가 번지듯 손끝부터 서서히 검게 물들어 간다. 하지만 나는 오히려 기뻐한다. 그게 저주를 푸는 유일한 비방祕方이다. 만약 저주를 저주로 풀 수 있다면 너는 자유로워질 것이다. 혹은 적어도 편지 속의 너를 혼자 내버려 두지는 않게 될 것이다.

영화의 파운드푸티지[8] 형식을 접목하면 좋지 않을까, 라는 생각을 하다 보니 좀 씁쓸하다. 이야기는 둘째치고, 불편한 키워드가 많다. 나와 너, 섬, 편지…… 그것이 나의 내면에 도사리고 있는 공포의 발현일까?

무심코 책상을 내려다보다가 언뜻 검게 그을린 듯한 손끝에 놀란다. 하지만 이내 펜의 잉크가 좀 묻었다는 것을 깨닫는다. 흉흉하다. 나로 인해 무언가 나쁜 일이 일어난 것만 같다. 하지만 구체적으로 무슨 일인지 생각해 내려 하자, 머릿속은 이미 타버린 재

---

8) Found footage, 페이크 다큐멘터리 장르의 일종.

만 남아 있는 것 같다. 모호한 것보다 현실적인 공포
가 더 좋을 것 같다.

섬에서 한 사람이 죽는다. 몇 차례의 전출과 전입,
병원 입원과 휴가 미복귀 등을 거듭하다가 끝내 스스
로 죽음을 택한다. 그는 마지막으로 나와 같은 곳에
서 근무하고, 휴가를 떠나 돌아오지 않다가 가족의
설득으로 겨우 복귀하지만, 이튿날 야외 테니스장에
서 목을 맨단 채 발견된다.

하지만 이야기는 그게 전부가 아니다. 전날 저녁,
나는 그와 마주쳤다. 나는 무슨 이유로 기분이 좀 언
짧아진 상태였고, 자신만 특별하다는 듯 지켜야 할
기본도 무시하고 가버리는 그에게, 한마디 툭 던졌다.

"인마, 그냥 가냐?"(물론 순화된 표현이다.)

그러자 그는 아무런 대답 없이 기묘한 표정으로 눈
을 흘기며 그냥 테니스장 쪽으로 멀어졌는데, 그것이
그의 생전 마지막 모습이었다.

다들 비극에 안타까워하면서도 터질 것이 기어이
터졌다는 반응이다. 조금만 버티면 되는데 왜 그랬을
까……. 다만 눈 깜짝할 사이 발목이 잡혀 죽음의 늪

으로 끌려 들어가는 것이 사람이라면, 이미 그는 누가 봐도 그 임계점을 훌쩍 넘은 상태였다.

한편 나는 서늘한 기분이 든다. 다름 아니라 그와 마지막으로 마주친 사람이 바로 나였기 때문이다. 혹시 그때 내가 던진 한마디가 (아주 조금이라도) 그를 더 깊은 늪 속으로 내몬 것은 아닐까. 물론 우리는 서로 잘 모르는 사이고, 그 이상의 접점도 없지만, 그래도 찜찜한 마음을 떨쳐내기가 어렵다.

그리고 나는 그 일을 편지로 쓴다. 굳이 그런 일을 쓰다니, 마침 오는 편지가 뜸해 관심을 끌고 싶었는지 모르지만, 타인의 죽음으로 누군가의 환심을 사려든 것에 이내 양심의 가책을 느낀다. 거기서 일종의 트라우마가 생기고 공포심이 자라난다.

물론 답장을 받아내기는 할 것이다.

"넌 괜찮아?"

돌아온 답장에는 그렇게 쓰여 있다. 그 말이 듣고 싶었던 것이다. 죽음의 무게를 알지 못하는 사람에게 스쳐 간 타인의 죽음은 자신을 위한 응석거리에 지나지 않는다.

나쁘지만은 않다. 그러나 너무 편지에 집착하는 것 같다. 아마도 너에 대한 집착이기도 하겠지. 교묘하게 편지의 수신자를 숨겨봐야 결국 너다. 그럴 바에는 차라리 어제의 '상상 편지'를 재고하면 어떨까…….

봉투에 적힌 주소를 보고 무작정 너를 찾아간다.

그곳은 어느 해안 도시의 아담한 이층집, 벨을 누르자 누군가 안에서 나온다. 나보다 몇 살쯤 많아 보이는데, 느낌이 가족은 아니다. 아마도 네가 형이라고 부르는 사람…… 등에 식은땀이 흐른다.

그런데 그는 마치 나를 기다린 듯하다. 너를 찾아 왔다고 하니까, 어서 들어와 앉으라더니 차를 내온 다음, 조심스레 말을 꺼낸다.

"그 친구는 떠났습니다."

나는 너무 긴장한 탓에 무슨 말인지 알아들을 수 없다. 떠났다는데, 어디 여행을 갔다는 말인지…….어리둥절한 표정으로 바라보자, 그는 갈 곳이 있다며 나를 이끌고 밖을 나선다.

우리는 얼마간 걸어 가까운 언덕을 오른다. 걷는 동안 한마디 말이 없던 그는 훤히 바다가 내려다보이는 곳에 이르자 비로소 입을 연다.

"여길 좋아했어요. 여행하는 기분이 든다고……."

나도 안다. 너는 여행을 좋아하고, 떠나고 싶지만, 그럴 수 없을 때는 대신 가까운 언덕에서 바다를 바라본다고 했다. 아마도 여기가 거길 거라고 짐작한다. 그가 덧붙인다.

"물론 충분치 않았죠. 늘 여행을 갈망했어요. 떠나지 못해 힘들어할 만큼. 근데 원하는 대로만 살 순 없잖아요. 어딘가 정착해 자신의 몫을 해내고 때로는 희생하며 삶의 대가를 지불해야 하죠."

그런데 너는 그러기가 어려웠다. 영민한 친구라 마음먹으면 이런저런 일을 곧잘 해내지만, 좀처럼 마음을 잡지 못했다. 매사 외나무다리를 걷듯 아슬아슬하다가 일이 틀어졌고, 그러면 또 여행을 떠났다.

그러다가 너는 여행마저 잃었다. 언젠가의 여행에서 험악한 일을 겪었는데(아마도 나와 만난 여행이 아닐까), 그 경험은 너에게 트라우마로 남았다. 예전에 없던 두려움이 생겼고, 떠나기가 망설여졌다. 어느 날 너는 그에게 말했다.

"그만 내려놓아야 하는데 좀처럼 그러지 못한다면,

형은 어떻게 할 거야?"

어쩐지 그것은 내게 하는 말 같아 찔리는 기분이다. 그런데 거기서부터 그의 이야기는 나와 무관한, 내가 상상하지 못한 방향으로 흐른다.

"아무런 말도 해줄 수가 없었어요. 그때 뭐라도 말했다면……."

둘은 어려서부터 가까웠다. 늘 함께였고, 자연스레 서로에게 좋은 마음을 품고 있었다. 다만 그는 '독신의 삶'을 꿈꿨고, 그 꿈은 차근차근 현실이 되어가고 있었다. 너에게는 받아들이기 힘든 일이었다.

한번은 네가 붙잡으며 말했다. 다시 생각해 볼 수 없겠냐고. 솔직히 그도 조금은 흔들렸다. 그에게도 소중한 사람이니까. 하지만 이내 자신을 추슬렀고, 그 삶이 자신의 사명이자 모두와 (물론 너와도) 함께 하는 길이라고 답했다.

그때부터 너는 엇나가기 시작했다. 마치 누군가 붙잡아 주길 바라듯, 충동적이고 자기 파괴적인 일을 저질렀다. 가족끼리도 서로 알고 지냈는데…… 여러 가지로 갈등이 심했다.

당시 조금이라도 너란 사람의 중심을 잡아 준 것이

있다면 바로 여행이었다. 여행에 관해서는 흔들리지 않는 열정이 있었고, 떠나면 오히려 안정감을 느꼈다. 그런데 (험악한 경험으로) 여행이 두려워지자, 너는 어디에서도 중심을 잡지 못하는 듯했다.

"그래도 이겨내려고 했어요. 망가진 균형을 되찾아 다시 일어서려 했죠. 저도 가능한 한 도우려 했고."

다만 불쑥 고개를 드는 불온한 감정은 어쩔 수가 없었다. 그것은 조금씩 너를 갉아 먹다가 최소한의 의지마저 잃게 했고, 끝내 낭떠러지 아래로 너를 밀어버렸다. 그도 미처 감지하지 못한 일이었다고 한다. 그러면서 그는 가까운 곳을 가리키는데, 거기에는 작은 꽃다발이 놓여 있다.

"그날은 다시 여행을 떠난다고 했어요. 얼굴이 밝아 보였죠. 많이 회복되었구나 싶어 기뻤는데……."

그가 이곳으로 인도할 때부터 고조되던 불길한 예감은 현실이 된다. 너는 돌아오지 않을 영원한 여행을 떠났다.

네가 떠나고, 그는 너에게 온 몇 통의 편지를 대신 받게 되었다고 한다. 네가 남기고 간 물건들 속에서 같은 소인이 찍힌(섬에서 온) 편지 뭉치도 발견했다.

처음에는 그냥 태워버리려 했는데, 결국 봉투를 열어 보게 되었다. 이미 떠난 사람에게 온 편지를 엿보고 싶지는 않았지만, 너무 끈질기게 와서 어쩔 수 없었다며 그는 씁쓸한 미소를 짓는다. 어쨌든 남아 있는 사람이 대신 마무리해야 할 몫인 듯했다.

"당신이 맞죠?"

그러면서 그는 절대 누설하지 않겠다는 듯 입에 지퍼를 채우는 시늉을 한다. 굳이 그런 모습을 보이는 것은 무력하게 이 상황을 받아들여야 하는 상대를 위한 배려일 것 같다.

그 순간 나는 무너지고 만다. 답장을 호소하며 보냈던 편지, 그 속에 늘어놓았던 온갖 미사여구…… 무지의 부끄러움을 더한 슬픔에 제어할 수 없는 눈물이 흐른다. 눈에 바람이 들어간 척 나는 얼굴을 모로 돌리며 말한다.

"혹시 실례를 범한 거라면……."

"아뇨, 아닙니다."

그는 편지를 읽고 오히려 안도감이 들었다고 한다. 자신처럼 너를 생각해 준 사람이 있어서 다행이라고. 다만 모르고 계속 편지를 보내는 내게 답장해야 할지

고민했는데, 차마 그렇게까지는 할 수 없었다고 한다 (나도 원치 않는다).

"대신 기다렸어요. 언젠가는 이렇게 마주할 날이 있을 거라고 생각했죠."

가슴이 무지근하다. 한 번에 너무 많은 고통 없이 서서히 죽어가는 것 같다. 그러는 내내 괴로운 생각에 사로잡혀야 한다. 결국 아무것도 몰랐고 아무것도 아니었다. 그것을 확인해 주듯 그가 덧붙인다.

"하루는 다 그만두고 같이 떠나자고 하더군요. 아니면 후회할 거라고. 그때는 그런 말 말라며 외면했는데……."

거기서 글을 멈춘다. 터무니없이 진부한 스토리다. 게다가 뻔뻔하다. (또다시) 너를 죽인 데다가, 이번에는 형이란 사람에게 은근슬쩍 책임을 전가하려 한다. 참 고약한 상상이다. 행복하게 잘 살고 있으면 안 되는 것일까…….

어느새 저녁이다. 이야기가 산으로 가기 전에 여기서 멈추는 것이 나아 보인다. 마침 언제 돌아오셨는지, 방문 너머로 어머니의 외침이 짓다 만 나의 왕국

속으로 파고든다.

"어서 나와서 밥(이나) 먹어라."

_감정의 기억

격한 감정은 모든 걸 부정하게 만든다. 그날 느꼈
던 감정도 다 나만의 착각이었을까······.

그날 너를 만난 곳은 시내 중심가였다. 벌써 수년
이 지난 일이지만, 기억에 선명하다. 그때 우리는 발
걸음이 닿는 대로 하염없이 걸었다. 가만히 있으면
가슴이 풍선처럼 부풀어 오를 것 같아 그러지 않을
수 없었다.

사실 만남을 차일피일 미룬 건 나였다. 여행에서
돌아온 나는 곧 섬으로 가야 했고, (역시 여행에서 돌
아와 나의 엽서를 받은) 너와 연락이 닿긴 했지만, 처

지를 비관하며 망설였었다. 잡아둘 수 없는 사람을 붙들어 봐야 의미가 없을 듯했다. 그냥 잊자. 손쓸 수 없는 미래를 앞두고 무표정한 인형처럼 무덤덤해지려 했다. 그러던 어느 날, 너에게서 다시 연락이 왔다. 섬으로 떠나기 불과 며칠 전이었다.

"한번 보자더니 어떻게 연락도 없니?"

너는 먼저 만나자는 연락을 주지 않는 내게 조금 화가 난 듯했다. 어렵사리 억눌러 왔던 감정이 단번에 무너졌다. 한 번은 보고 가자는 마음이 간절해졌고, 우리는 바로 그날 밤 만나게 되었다.

주위를 둘러싼 공기까지 인상 깊은 밤이었다. 마치 귓가에 〈벨 바텀 블루스〉[9]가 나직이 들려오는 듯했다. 매 순간이 아쉬워 어쩌면 다시 없을 순간일지도 모른다고 느꼈는데, 지나고 보니 그때 이미 그렇게 예감했다.

서로가 서로를 이끌듯 거리를 배회했고, 걷는 동안 마르지 않는 대화를 이어 갔다. 정확히 무슨 대화를 나눴는지는 이제 몰라도, 그 느낌만은 지금도 고스란

---

9) 데릭 앤 더 도미노스 시절의 에릭 클랩튼과 바비 휘트록이 만든 곡.

히 간직하고 있다. 누군가 나라는 바닷가에, 너라는 기분 좋은 파도를 내려놓고, 흐뭇한 휘파람을 부는 듯했다. 그리고 그때 그것은 나만의 느낌이 아니라고 확신했다.

그러나 파도는 곧 물러가고, 어김없이 헤어져야 할 시간이 다가왔다. 우리는 그만 전철역으로 향했다. 너는 같은 열차를 타고 몇 정거장을 가다가 갈아타야 했고, 나는 그대로 계속 가야 했다. 열차가 멈추지 않고 영원히 이어지길 얼마나 바랐던 줄 모른다. 하지만 열차는 오히려 평소보다 기민하게 움직였고, 어느새 네가 갈아타야 할 역에 도착해 있었다. 다른 것은 몰라도, 그때 네가 마지막으로 했던 말은 지금껏 잊지 못한다.

"꼭 지금 가야 하니? 조금 더 있다가 가면 안 돼?"

섬을 두고 한 말인지, 전철에서 내리는 것을 두고 한 말인지는 분명치 않다. 내가 멈칫하는 사이, 너는 이내 단념한 듯 그렇게 덧붙였을 뿐이다.

"아니다. 조심해서 가."

결국 거기까지. (모든 것이 다 나만의 착각이 아니라면) 아마도 그때가 너를 붙잡을 수 있는 마지막 기회였던 것 같다. 만약 그때 따라 내렸다면 달라졌을까? 누군가는 평생 그 순간만을 기다리는, 결국 다시 오지 않을 순간을 나는 놓쳐 버린 걸까? 하지만 이미 지나간 일이다. 다만 그때의 나는, 내일은 또 내일의 파도가 밀려올 것이라고 믿었을 뿐이다.

다시 밤이 찾아온다. 방으로 돌아온 나는 어젯밤 들었던 푸치니 대신 엔니오 모리코네의 엘피반을 턴테이블에 올린다. 간주처럼 짧은 곡이지만, 다섯 번째 트랙의 제목이 유독 눈에 띈다. 〈다시 그 사람을 생각하면서〉[10].

자리에 앉아 계속 글을 써보려 한다. 어쩌면 나는 너에게 다시 편지를 보내고 싶은 것일지도 모른다. 하지만 이제는 대신 다른 종류의 글로, 언제 어딘가에 있을 너에게 전달되면 좋겠다.

"어디서부터 써야 할까…… 잘 지내?"

어느 틈에 따라 들어왔는지, 침대 구석에 자리 잡은 스팅이 이불자락을 연신 물어뜯는다.

---

10) 〈While thinking about her again〉, 영화 〈시네마 천국〉의 OST 수록곡.

보험 형兄

_첨부 파일, '이별.hwp'

"형, 오늘 밤 비행기라고요?

끝내 뵙지 못하네요. 가기 전에 한번 보자던 약속, 지키지 못하게 되었습니다. 아쉽지만, 여러 가지로 바쁘셨을 텐데 차라리 잘 되었다고 생각합니다.

전 그렇게 믿습니다. 고대한 만남은 막상 실망감을 안겨 주지만, 아쉬운 이별은 다음을 기약하게 해줄 것이라고. 비록 지금은 이대로 멀어지지만, 섣불리 실망하지 않으려 합니다.

돌아보면 늘 폐만 끼쳤던 것 같습니다. 그간 마음 써 주신 점 잊지 않겠습니다. 그리고 비록 매번 지키지 못한 말이지만, 작별의 말보다는 늘 하던 대로 인사드리고 싶습니다. 언제 한번 뵙겠다고.

그때를 기약하며, 새로운 그곳에서 부디 건강히 잘 지내시기를."

여기까지 쓰는데 던힐 두 개비와 11곡 44분짜리 음반 한 장이 필요했다. 잔뜩 힘이 들어간 걸 보니, 너무 의식하는 듯했다. 어울리는 말이 잘 떠오르지 않아 고민하는 사이 내용이 칙칙해지며 지금 뭐 하냐는 자괴감마저 들었다. 그러고 보니 동성의 상대에게 글을 쓰는 건 처음이다.

책장에 놓인 미니 컴포넌트에서는 나직이 프로콜 하럼의 히트곡 모음집이 흘러나오고 있다. 〈어 화이터 셰이드 오브 페일〉이 유명하지만, 나는 〈홈부르크〉에 더 끌리는 편이다. 제목의 홈부르크 모자11)도 꼭 한번 써보고 싶은데, 전혀 어울리지 않을 것 같아 용기를 내지 못하고 있다. 그렇다고 〈어 화이터 셰이

---

11) 독일 바트홈부르크산으로 좁은 챙이 말려 있는 펠트 페도라.

드 오브 페일〉을 마다할 리 없으니, 앨범을 한 번 틀면 처음부터 끝까지 듣는다. 앨범에는 두 가지 버전[12]의 〈어 화이터 셰이드 오브 페일〉와 〈홈부르크〉가 수록되어 있고, 이제 마지막 트랙인 7분 12초짜리 두 번째 〈홈부르크〉가 앨범의 대미를 장식하고 있다. 그만 글을 마무리 지어야 할 텐데…….

사실 형이 나를 보지 못하고 떠나 과연 아쉬울지는 모르겠다. 오히려 홀가분하지 않을까……. 평소 통화를 해도 어둑한 말만 잔뜩 늘어놓았는데, 만났어도 실망스러울 뿐이다.

물론 예전에 누가 그랬다. 이별은 얼굴을 마주 보고 해야 하는 거라고, 다 큰 어른이면 제대로 이별할 줄 알아야 한다며…… 또 실망이라고 했다. 다 옳은 말씀이다. 다만 나는 실망이란 말에 더 울컥했다. 아픈 곳을 정확히 타격했다.

만나도, 만나지 않아도 실망스러운 사람. 그러고 보니 부모님, 형제, 친구, 연인…… 누구든 (적어도 한

---

12) 싱글 버전과 50주년 기념 전장 스테레오 버전.

번은) 내게 실망이라고 했던 것 같다. 만약 사람을 평가하는 사사분면(함께여서 좋은 사람, 실망스러운 사람, 좋다가 실망스러운 사람, 실망스럽다가 좋은 사람)이 있다면, 나는 그 밖의 실망스럽고 또 실망스러운 사람이다. 그래서 나도 정말 실망이다. 심지어 길을 지나다 듣는 가스펠 송[13]도 이렇게 들린다.

"당신은 실망하기 위해 태어난 사람, 당신의 삶 속에서 그 실망하고 있지요."

그러므로 (울컥하지만) 기본적으로 내가 실망스럽다는 것에는 이의가 없다. 무슨 기대를 하던지 거기에 밑돌 것이다. 절대 만족할 만한 사람이 못 된다는 의미다.

그럼에도 사람들은 자꾸 실망할 기대를 품고 다가왔다가, 군이 실망한 채 고개를 저으며 나를 떠났다. 그렇다면 나는 만나기 전, 만날 것을 기약할 때까지 그럭저럭 괜찮은 인간으로, 얼굴을 보고 이별하지 않아 실망이란 말도 결국 (나를 만나) 이미 실망한 사람의 첨언일 뿐이다.

---

13) 〈당신은 사랑받기 위해 태어난 사람〉, 이민섭 작곡.

그러니 차라리 잘된 일이다. 형이 나를 만나지 못해서 다행이다. 늘 만나자고 했지만 결국 그러지 못했고, 적어도 실망하지 않고 떠날 수 있게 되었다. 실망하지 않고 떠나 다행이라니…… 나도 무슨 말인지 모르겠다. 형에게 글을 쓰는 것은 그냥 관둘까, 하는 생각도 든다.

굳이 이럴 것까지 있을까. 전화로 자주 연락을 주고받았고, 때때로 진솔한 대화를 나누며 서로 무언가 통한다고 생각해 왔지만, 서로 시간을 내서 만나거나 한 적은 한 번도 없는데, 이럴 필요가 있을까. 적어도 작별의 아쉬움에 글을 쓸 만큼 막역한 사이는 아니지 않을까. 형이 생각하는 나와의 거리 또한 가늠할 수 없다. 그런데 왜인지 모르게 나는, 떠나는 그에게 글을 쓰고 있다.

지금쯤 형은 무주공산 위를 날고 있을 것이다. 아마도 이 글은 목적지에 도착한 다음에야 받아보겠지. 메일을 수신할 형의 반응은 짐작하기가 어렵다. 어쩌면 전해질 감동이 남다를지도 모르겠다. 네가 나를 이렇게까지 생각하다니, 하고. 어쨌거나 떠났다고 누군가의 메일을 받는 일은 드물 테니까.

그렇다고 이제 와서 딱히 소용은 없는 일이다. 버스, 아니 비행기는 이미 떠났다. 다만 고양이처럼 뒤늦게 꼬리를 말고 그가 남긴 흔적 위를 서성일 뿐이다. 결국 우리는 이대로 멀어질 것이고, 뜬금없는 메일을 받은 형도 나를 잊을 것이다. 악의는 없지만.

그저 스산한 밤이고 뾰족이 다른 할 일이 없었던 까닭일지도 모른다. 문득 낮에 걸려 온 형의 전화가 괜스레 마음에 걸렸다.

나는 끝내 전화를 받지 않았는데, 종종 그럴 때가 있다. 받지 않아도 이미 내용이 짐작되면 그렇다. 그냥 외면하고 싶다. 낮에 걸려 온 전화도 그랬다. 길게 이어지는 벨 소리 속에는, 떠나기 전에 한번 만나자고 했건만 도통 연락이 없더라는 그의 말이 긴 여운처럼 묻어 나는 듯했다. 이미 떠난다는 것을 알았고, 한번 만나자는 (그러나 그러지 못한) 말이 빈말이 되었으니, 그다음은 뻔했다. 어쩐지 받기가 꺼려졌다. 어울리지 않는다고도 생각했다. 구태여 만나서 이별을 공표할 필요는 없어 보였다.

다만 밤이 되자, 그래도 이건 아니지 않냐는 생각

이 들었다. 낮의 과오를 반성하듯 양심이 속삭였다.

"역시 다들 실망할 만하네."

그래서 자리에 앉아 컴퓨터를 켜고 새로운 워드 파일을 열었다. 원래 악필의 편지를 뻔뻔하게 바로 쓰지는 못할 것 같아, 일단 워드로 쓴 글을 편지지로 옮겨 적으려 했는데, 아직 주소를 모른다는 것을 깨달았다. 또 내용을 그대로 메일에 복사해 넣으려다 보니 너무 무성의해 보여 결국 파일로 첨부하기로 했다. 편지를 첨부한다는 것이 다소 애매해 보이지만, 어쨌든 그러기로 했다. 어쩐지 그 정도의 애매함이 어울리는 것도 같았다. 생각해 보면, 우리는 늘 그런 식으로 한 다리 건너뛴 사이였다.

까마득한 학과 선배인 형과 알고 지낸 지는 꽤 되었다. 언젠가 홈커밍데이를 계기로 연락이 닿았다. 나는 졸업을 한 학기 앞두고 휴학을 한 상태였고, 당연히 학과 행사는 참석하지 않았다(그럴 생각도 못 했다). 그런데 연락처가 공유된 모양인지 형에게서 연락이 왔다. 나 몇 학번 누구야, 라는 말에 나는 예의를 갖춰 응답했지만, 수화기 밖의 표정은 달랐다. 모르는

번호의 전화를 괜히 받았다 싶었다.

그런데 가만히 듣다 보니 형은 행사에서 내 얼굴을 보았다고 착각하는 모양이었다. 무엇이 이런 상황을 만들었을까…… 선배라 사실대로 말하지 못하고 마냥 곤란해하는데, (나는 모르는 그날의 일에 대해) 한참을 이야기하던 형이 뒤늦게야 알아챘다.

"그날 정말이지 잔뜩 취했지 뭐야. 그나저나 취직 했다고 그랬지?"

"아, 아뇨. 그게……."

"어라, 아닌가? 그때 그러지 않았어?"

"아니요, 실은 오늘 처음……."

형은 멋쩍어하며 크게 웃었고, 나도 따라 웃었다. 대수롭지 않게 뭐 그럴 수도 있지, 하며 넘어가는 것이 좋았다. 다른 사람이라면 더 어색해질 뿐이지만, 형과는 달랐다. 그때부터 대화가 불편하지 않았다. 형은 나의 어떤 면이 불편하지 않았는지 모르지만, 분위기는 한층 화기애애해졌다. (형이 대부분 말하긴 했지만) 누군가와 그토록 오래 편안한 대화를 나누는 일은 처음이었다.

이후 종종 전화로 안부를 묻게 되었고, 점차 통화

가 잦아졌다. 때로 속 깊은 대화를 나누기도 했다. 서로 얼굴을 몰라도 이미 익숙해진 느낌이었고, 누군가를 안다는 것은 만남의 횟수와 무관한 듯했다. 애써 만나려 하지 않았고, 구태여 그럴 필요도 없었다. 통화의 끝에 늘 언제 한번 보자고 했지만, 그뿐이었다. 그러지 않아도 언제든 마주칠 것만 같았다. 다만 실제로 그런 일은 일어나지 않았고, 형과 나는 서로 별개의 두 부품을 잇듯 매번 수화기를 통해서만 연결되었다.

물론 진짜 만날 뻔한 적도 있었다. 언젠가 통화 중에 형이 지금 당장 나오라고 했는데, 딱히 핑계를 댈 이유도 없을뿐더러, 나도 직접 만나고픈 마음이 없지 않았다. 하지만 이내 형이 꺼냈던 무언가를 도로 집어넣듯 말했다.

"아니다. 됐다."

사실 이러다가 소원해지고 말겠거니, 하는 생각도 들었다. 그런데 사람의 인연이란 참 불가사의했다. 학교라는 궤도를 이탈한 내가 불확실한 미래의 퍼즐을 푸는 사이, 주위 모두와 멀어졌음에도 형과의 통화만큼은 계속되었다.

실망하고 멀어질 만큼 충분히 가깝지(만나지) 않았기 때문일지는 모르지만, (내가 만나면 실망스러운 사람이라면) 형은 만나지 않아도 늘 만나온 사람 같았고, 무언가를 털어놓을 만한 유일한 상대였다.

그러던 어느 날이었다. 잔뜩 취해 형에게 전화를 걸었다. 취했음에도 그날의 일을 똑똑히 기억하는 이유는 여자 친구와 헤어진 날이었기 때문이다.

휴학 기간이 무의미하게 소진되어 갈수록 심적인 압박을 받던 나는, 무겁고 어두운 마음으로 주위를 잔뜩 오염시키고 있었다.

여자 친구와의 관계도 틀어지고 말았다. 곁에 몇 남지 않은 소중한 사람이었지만, 혼자 품은 마음의 독은 제멋대로 자라나 있었고, 보란 듯 관계에 불성실해졌다. 여자 친구는 가능한 참아 주었지만, 인연은 거기까지였다. 더 이상 서로 바라던 모습이 아니었다. 곧 졸업하는 여자 친구는 취업이 예정되어 있었고, 휴학한 나는 갈피를 잡지 못한 채 무슨 일이든 마냥 미루고 있었다. 내게는 시간이 필요했지만, 이해심만으로 채우기에는 이미 메울 수 없을 이격이 벌어진 느낌이었다.

내가 자초한 일이었음에도 인정하고 싶지 않았다. 그날도 전화로 다투는데, 속 좁게 굴며 비겁하게 먼저 헤어지자는 말을 꺼냈다. 여자 친구는 이별은 얼굴을 마주 보고 하는 것이라고 했지만 외면했고, 바로 그 말, 실망이란 말이 돌아왔다.

물론 곧 후회할 일이었다. 하지만 그날은 실망이란 말에 더 울컥했고, 만취한 상태로 속마음을 털어놓자, 형이 그 얘기를 꺼냈다.

_플라톤의 골목

어느 날 그가 기다렸던 어느 그림자에 관한 이야기였다. 처음에는 썩 마음에 들지 않았다. 무슨 말을 하는지 귀에 들어오지 않을뿐더러, 왠지 모를 거부감이 느껴졌다. 그런데 시간이 갈수록 자꾸 떠오르는, 처음

에는 흘려들어도 머릿속을 자꾸 맴도는, 그런 이야기
였다.

어느 겨울, 해 질 녘이었다. 형은 좁은 골목길에
서서 그림자를 기다렸다. 시간은 속절없이 흘러갔지
만, 반드시 올 것이라고 믿기에 무작정 기다렸다.

그러고 있으려니 몸이 바르르 떨렸다. 수전증 환자
처럼 손에 쥔 종이컵의 커피가 물결치더니 자꾸 밖으
로 흘러넘쳤다. 어디든 들어가고 싶었다. 하지만 어느
순간이라도 길모퉁이를 돌아 그림자가 나타날 것 같
아, 가만히 옷깃을 여미고 있을 수밖에 없었다.

몸을 잔뜩 움츠리다 보니 자신도 몰래 뒷걸음쳤고,
어느새 그림자가 모습을 드러낼 길모퉁이에서 조금
떨어진 곳에 서 있었지만, 오히려 좋았다. 그 정도가
적당했다. 놀라게 할 마음은 없었다.

얼마나 기다렸을까. 밀려난 공간을 하얀 숨으로 채
우는데, 모퉁이 너머로 익숙한 그림자가 다가오는 것
이 보였다. 왔구나, 싶었다. 흐릿한 그림자만으로도
알 수 있었다. 떨리던 몸이 그대로 경직되며 그 자리
에 얼어붙었다. 그러면서도 심장은 격렬한 소리로 둥

둥대며 돌진을 명했다. 뭐해? 어서 가 봐! 하고.

비로소 그림자와 마주하는 순간이었다. 처음부터 그림자를 원했지만, 자신 없이 망설이다가 선뜻 다가가지 못했고, 다시 기회가 있을 것으로 생각했으나 그 기다림은 너무 길었다. 그렇게 시간이 흘러 어느 골목길, 다가오는 그림자를 보자 얼굴 위로 미소와 눈물이 동시에 번졌다. 눈앞의 모든 장면이 느리게 흘러갔고, 뺨을 스치는 공기의 촉감이 뚜렷하게 느껴졌다. 소중하고 결정적인 무언가가 영원히 뿌리내릴 듯했다. 그러므로 더 망설일 것은 없었다. 피하지 않고 그림자를 향해 다가가야 했다.

그림자는 점점 뚜렷해지고 있었다. 멀리서 길게 다가와 가로등에 가까워질수록 뭉툭해지는 대신 더욱 진해졌다. 잠시 진정되었던 심장이 다시금 격앙된 발길질을 해댔다. 하지만 거듭 담금질한 그의 마음은 이미 확고했다. 뜨거운 피가 혈관을 따라 손으로 전해졌고, 들고 있던 종이컵을 그대로 바닥에 떨어뜨렸다. 그게 신호였다. 그는 그림자를 향해 길모퉁이 쪽으로 발걸음을 옮기기 시작했다. 이대로라면 곧 마주할 수 있었다.

그러나 길모퉁이에 먼저 다다른 것은 그였다. 어쩐 일인지 그림자는 더 이상 다가오지 않고 있었다. 그러니까 가로등 발치, 길모퉁이 저편에 그대로 멈춰서서 이쪽으로 넘어오지 않았다. 하는 수 없었다. 그림자보다 먼저 모퉁이를 돌아야 했다. 그러기 전에 그는 잠시 멈춰서 옷매무시를 가다듬었다. 그런 다음, 모퉁이를 돌았다.

"하지만 없었어. 거기엔 아무도 없더라."

형의 이야기는 거기서 잠시 멈췄다. 늘 그렇듯 우리는 수화기 너머의 대화 상대였고, 심정을 토로하려 먼저 전화를 걸었으나 듣는 입장이 되어 버린 나는 조금 시큰둥해져 있었다. 그런 걸 아는지 모르는지 형은 무언가 반응을 기대한 듯 뜸을 들였고, 아무런 반응이 없자 스스로 답하듯 말했다.

"플라톤의 골목이야."

아, 그 골목이요? 하고 아는 척 대강 받아넘기려던 말이 나오다가 목에 걸렸다. 건성으로 지나간 말의 꽁무니를 쫓기에는, 솔직히 무슨 말인지 전혀 이해하지 못하고 있었다. 플라톤이니까 무슨 철학적인 비유

겠거니, 마른침을 삼키며 멋대로 추측해 볼 뿐이었다.

나는 나중에야 그 말의 의미를 알게 되었다. 원래
는 골목이 아닌 동굴이었다. 플라톤의 동굴. (요컨대)
플라톤 왈, 동굴에서는 그림자를 실체로 여긴다는 것
이다. 그러니까 동굴 속 사람들은 동굴 입구에서 안
으로 비친 그림자를 실체라고 믿지만, 실은 실체가
아닌 그림자일 뿐이고, 실체는 동굴 밖에 존재한다는
얘기다. 지당한 말씀이다. 다만 철학적인 비유이므로
함의하는 바가 깊은데, 일단 이러한 '동굴의 비유[14]'
는, 지금 우리가 현실(동굴)에서 보고 있다고 믿는 것
이 사실 허상(이데아idea의 그림자)에 불과하다고 말한
다. 새삼 아찔한 얘기가 아닐 수 없다.

거기까지 추급한 이후로 형의 이야기는 불현듯 떠
오르곤 한다. 동굴, 골목, 실체, 그림자…… 그렇다면
형이 (동굴이 아닌 골목에서) 본 그림자도 실체가 아
니었다는 의미일까. 그럴 때면 뒤늦게 그날 수화기
너머 형의 모습을 상상해 보게 된다.

---

14) 이데아론을 설명하기 위한 플라톤의 비유로 《국가》 7권에 상
　술.

상상 속의 형은 홀로 술을 마시고 있다. 가본 적은 없지만, 언제 한번 같이 가자는 말을 많이 들어서 어쩐지 친숙하게 느껴지는, 늘 음악이 흐르던 바bar에서, 많이는 아니고 하루의 의식처럼 바 테이블에 걸터앉아 간단한 안주에 한 잔. 그곳의 어두운 조명이 적당히 그의 표정을 가려주지만, 동굴을 건너온 목소리 속에 어쩐지 어깨의 미세한 떨림 같은 것을 느낄 수 있다.

형은 어떤 그림자를 회상하고 있다. 아마도 그에게 소중한, 하지만 이제 사라진, 그럼에도 잊을 수 없는 그림자일 것 같다. 그것이 실제 그림자인지, 환영인지 또는 은유적 표현인지는 중요치 않다. 그림자의 실체가 누구(혹은 무엇)인지도 나는 당연히 알지 못한다. 묻지 않았으므로, 앞으로도 모를 수밖에 없다.

다만 안다고 크게 바뀌는 것은 없을 듯하다. 생각건대, 이야기의 핵심은 실체를 쫓아 과감히 동굴(골목) 밖으로 나서야 하지만, 형이나 나나 동굴 안에 머물며 그림자만 보려 한다는 것 아닐까. 모두가 플라톤은 아니니까.

수화기 너머로 형이 덧붙이듯 말했다.

"결국 그림자는 모습을 드러내지 않았어. 어둠 속으로 자취를 감춰 버렸지."

"다시 보지 못했나요?"

"응, 그 이후로는."

"⋯⋯."

"괜찮다는 거야. 어쨌든 살아가잖아."

이별의 격정을 토로하는 내게, 아마도 형은 본인의 경험으로 나를 위무하려 했던 듯하다. 자신도 실체와 마주할 수 없었다고. 그러기는커녕 그림자마저 자취를 감췄다고. 그러니까 괜찮다고. 그냥 잊으라고. 이별이란 원래 그런 거라고. 아무튼 다 살아간다고.

지금은 이해하지만, 그때는 좀처럼 위안이 되지 않는 말이었다. (이미 말했듯) 오히려 거부감마저 느꼈다. 골목이고, 그림자고⋯⋯ 모호한 말로 실연한 당사자 대신 스스로가 주인공으로 분해, 멋대로 자기 얘기만 풀어놓는다고 생각했다. 그래서 내 이야기는 별 것 아닌 것이 되어 묻혀(마치 공기 정화기 같은 것에 흡수되어 증발해) 버리고, 형의 이야기가 그 자리를 차지한 듯했다.

나는 떨떠름한 반응을 보였고, 그런 불손함은 분명 형에게 고스란히 전달되었을 것이 틀림없다. 다소 버릇없이 전화를 끊고 말았는데, 많이 취했다지만, 이래서 잘 대해주면 되레 기어오른다는 말이 있지 싶다. 어쨌거나 지금 보니 과연 그렇다. 모쪼록 살아간다. 물론 그때는 알 리 없었지만.

형과의 이별을 추적추적 써 내려가는 밤, 문득 그런 형과의 일화가 생각나는 것이다. 돌이켜 보면 이별에 관해서 형이 나보다 할 말이 많을 수 있는데, 나는 왜 들어주지 못했을까.

_홈커밍데이의 목적

그리고 바로 얼마 전이었다. 형에게서 전화가 왔다.

(죄송한 마음도 있고) 그동안 몇 번인가 연락했지만, 형은 바쁘니까 나중에 통화하자고 했다. 이제 건방진 후배는 제명하기로 한 줄 알았다.

전화를 받은 나는, 지난번에 너무 죄송했다는 말부터 꺼냈다. 술에서 깬 이후로는 쥐구멍에라도 들어가고 싶은 심정이었다. 하지만 형은 의외로 대수롭지 않게 받아들였다.

"에휴, 나쁜 일로 취하면 다 그렇지 뭐."

과연 그만큼 너그러운 사람이기는 했지만, 그래도 나는 그간 반성할 시간을 주었다고 생각하며, 앞으로는 절대 그러지 않겠다는 마음으로 형을 대했다. 그런데 서로 이런저런 근황을 얘기하다가, 형이 말했다. 곧 멀리 떠난다고.

수화기 너머로 배경 음악처럼 (아마도) 피에트로 마스카니의 오페라 《카발레리아 루스티카나》가 나지막이 들려오고 있었다. 저 유명한 〈간주곡〉을 지나, 《카발레리아 루스티카나》와 '카브와 파브'로 콤비를 이루는 레온카발로의 오페라 《팔리아치》로 넘어갈 때쯤이었다. 남자끼리 이별하는데 치정극이라니. 하지만 그런 감상과는 달리 분위기에 취한 수화기는 몹시 축축해져 있었다.

형이 멀리 떠난다는 소식은, 어쩐지 목에 걸린 가시처럼 느껴졌다. 이것으로 마지막이란 것을 직감했다. 마음의 거리는 결국 물리적 거리와 비례하고, 아무리 형이라도 이번만큼은 만날 기약이 없어 보였다.

"가기 전에 한번 보자."

형은 그 말을 끝으로 전화를 끊었다.

가기 전에 한번 보자던 말이 자꾸 귓가에 맴돈다. 만나지 않았으므로 이별은 성립되지 않는다 싶다가도, 그 어떤 이별보다 마음에 걸린다. 이럴 거면 낮에 전화를 받을 걸 그랬다. 수화기 너머라도 제대로 작별을 고했어야 했는데……. 그러나 이미 지나간 일은 지나간 일이다. 나는 마음을 고쳐먹고, 쓴 글을 다시 훑어본다.

글이 생각보다 너무 짤막하다. 내용도 품은 마음보다 뭉툭하다. 무언가 하고 싶은 말이 있지만 꾸욱 속에 눌려 꺼내지 못하는 듯하다. 모두가 실망하고 멀어진 나는 어찌 보면 '이별 전문가'이지만, 그래도 작별 인사는 영 익숙지 않은 모양이다. 어쩌면 메일에 첨부하는 편지가 처음인 탓인지도 모른다. 성의껏 다듬고 고쳐 보려고 해보지만, 어렵다.

그렇게 형과의 이별은 새삼 나의 밤을 길게 붙잡는다. 수없이 많은 이별에 이미 둔감해진 나의 밤을. 그러나 이제는 그만 해야 한다는 것도 안다. 무슨 연인 사이도 아니고……

나는 던힐 한 개비를 꺼내 물고 불을 붙이려다가 그만둔다. 그만 끊을 때가 됐다. 화면 위로 깜빡이는 커서를 물끄러미 바라보다가, 파일을 저장하고 메일에 첨부한다. 보내기. 이만하면 됐다. 더 이상 쓸 말이 없다.

책상에 풀어놓은 손목시계를 보니 자정이 좀 넘었다. 벌써 그렇게 됐나 싶어 재차 침대맡의 알람 시계를 확인하니, 거긴 아직 열한 시에 미치지 못한 곳을 가리키고 있다. 가만 보니 손목시계의 바늘이 움직이지 않는다. 그렇다면 정오를 좀 넘어서부터 줄곧 멈춰 있었다는 얘기다.

기계식이란 말에 혹해 지금의 손목시계를 쓰고 있지만, 꽤 번거롭다. 가끔 손목에 감당하기 버거운 동거인이 사는 느낌이다. 나 같은 사람은 가끔 배터리만 갈면 되는 쿼츠시계를 써야 했다.

그나저나 풀어 두면 멈추는 시계를 왜 오토매틱이라고 할까. 불현듯 떠오른 의문이다. 하지만 의문은 그만 접어두기로 한다. 무지하기에도 이미 늦은 시간이다. 시간을 맞추고 시계를 손목에 차고 얼마간 흔든 뒤 다시 벗어 둔다. 문자반의 초침이 같이 살기 피곤하단 듯 틱틱대며 움직인다. 이것 또한 이별이 코앞일지도 모른다.

어쨌거나 내일은 일찍부터 서둘러야 한다. 여느 때 같으면 밤이 낮이고, 밤새 깨어 있다가 해가 중천에 오른 뒤 일어나도 상관없지만, 내일은 아니다. 이번 주까지가 복학 신청 마감이다. 어느덧 유예 기간도 끝이다. 더 물러날 곳은 없다. 그만 돌아가야 한다.

잠들기 전에 책상 서랍을 열어 내일 가져갈 준비물을 챙긴다. 아무렇게나 겹겹이 쌓인 종이 더미 틈에 우편물이 하나 보인다. 언젠가 형이 보낸 것이다. 갈색 서류 봉투의 좌측 상단에는 형이 다닌다던(지금은 퇴사한) 보험 회사의 상호와 주소가 프린트되어 있고,

우측 하단 귀퉁이에 나의 집주소가 적혀 있다.

그러자 그때의 기억이 떠오른다. 당장 만나자고 했다가 "아니다. 됐다."라고 했던 형은 대신 주소를 불러 달라고 했다. 그리고 얼마 지나지 않아 우편물이 하나 집에 도착했다. 이후 딱 한 번, 통화를 하던 중에 형이 물었다.

"우편물 하나 보냈는데, 혹시 받았어?"

"아, 네."

"열어 봤어?

"죄송해요. 아직⋯⋯."

"뭐, 크게 신경 쓸 필요는 없고, 혹시 필요하면 한번 보라고."

"네, 한번 보겠습니다."

하지만 끝내 봉투는 열어 보지 않았다. 열고 나면 거절하기 힘들 것 같았다. 관계에는 때로 대가가 필요하지만, 알다시피 나는 늘 실망스러운 사람이다. 형도 그 우편물에 대해 다시 이야기를 꺼내지 않았다.

아직도 열지 않은 봉투를 서랍 속에서 발견하며, 나는 새삼 실망스러운 나를 돌아본다. 미안하다. 다만 이것이 진심이었다. 새롭게 태어날 수 있는 상품이 아닌 이상, 내게 보험은 필요 없을 듯했다.

　나는 오래 묵혀 둔 봉투를 서랍에서 꺼내 그대로 쓰레기통에 던져 넣는다.

　그만 잠자리에 든다. 홀로 달아올랐던 스탠드마저 끄고 나니, 어둠이 밀물처럼 방안에 차오른다. 마치 가슴속까지 까맣게 염색된 듯하다. 잔상조차 없는 어둠이 되려 잠들기 어렵게 만들고, 그럴수록 자꾸 생각난다. 끝내 만나지 못하고 먼 곳으로 떠난 형, 실체를 드러내지 않은 그림자를 얘기했던 형, 형은 지금쯤 어디에 있을까. 그럴 수 있을 때 보험이라도 들었어야 했을까.

　질끈 눈을 감고 형이 떠난 곳을 떠올린다. 캥거루와 토끼가 껑충거리며 뛰어놀고, 코알라가 귀여운 표정으로 하품하는 곳이라고 했다. 그 틈에 형이 서 있는 모습을 상상한다. 어느 순간부터 형은 원주민처럼 분장하고 춤을 추고 있다. 어딘가로 훨훨 날아간 형이 부러운 걸까? 그 모습이 전혀 어색해 보이지 않는다. 반면 나는 계속 이곳에 남아 어색하게 살아가야 한다.

나도 형처럼 날아갈 수 있다면 좋으련만.

복학병자 復學病者

_혼자서 가라

　아침, 모두가 들떠 있다. 마치 출발선에 선 마라토너처럼 승강기 안은 사람들로 북적인다. 하필 지금, 여름휴가의 지각생들(휴가철 말미에 일정을 잡은 이웃들)과 동선이 겹쳤다. 가까스로 올라탄 승강기가 일층에서 열리고, 부산하게 움직이는 그들 틈을 재빠르게 비집고 나간 나는, 현관을 나서며 손목시계를 내려다본다. 늦었다.

　어지간한 알람 소리로는 소용이 없었다. 무언가 성

가시게 계속 칭얼대긴 했지만, 이미 생활의 리듬이 손상된 나는 한참을 더 나른하게 누워 있고 난 뒤에야 실눈을 뜰 수 있었다. 여러 겹 알람을 해놓았다는 것 자체가 무색하게 느껴졌다. 그래도 희박하게나마 갱생의 가능성이 있는지, 뒤늦게 정신을 차린 나는 제대로 씻지도 않은 채 부리나케 집을 나섰다. 비몽사몽간에 어이 오늘도 이러면 곤란해, 라는 내면의 목소리가 들려왔던 것도 같다.

발걸음을 재촉한다. 이미 아침 열 시, 오늘 업무는 오전까지다. 지금부터 서둘러도 도착하면 대충 삼사십 분, 어리바리 헤매다 보면 족히 한 시간은 걸릴 것 같다. 간당간당하다.

반쯤 뛰다시피 가까운 전철역으로 향한다. 입구의 계단을 한걸음에 내려가 개찰구를 통과해 플랫폼 앞에 선다. 나는 그제야 가방 안으로 손을 뒤적인다. 무언가 빠뜨린 것 같은 기분이 든다. 가끔 그럴 때가 있다. 하지만 이제 와서 그런 것을 따져서 무엇하랴. 나는 가방 안을 휘젓던 손을 거두며 생각한다. 그만! 가져왔어, 다 가져왔을 거야.

잠시 후 열차가 들어오고, 문 안으로 미끄러져 들어간 나는 가까운 문가에 기대선다. 그리고 오랫동안 가방 앞주머니에 쑤셔둔(방치한) 책을 꺼낸다.

따분하기 그지없는 책이다. 동양 어딘가의 경전이라는데, 끊임없는 단문에 구태의연한 아포리즘이 거듭된다. 결국 혼자 알아서 하라는 말의 반복, 되풀이되는 그 부분에서 쉽사리 페이지를 넘기지 못한다. 그럼 굳이 왜 또 이걸 읽고 있을까……. 그만 포기해도 되건만, 한번 시작한 걸 중단하지 못하는 병이 있는 듯하다.

모든 것을 취할 수 없으니 버려야 한다는 글귀에 눈이 멈춘다. 그리고 또 혼자서 가라. 하지만 버리고 홀로 가야 할 사람이 있다면, 나는 그러지 않아도 혼자 가고 있다. 게다가 가진 게 별로 없으니 딱히 버릴 것도 없지 않을까. 홀로 그런 생각에 잠겨 보지만, 별 소득이 없다. 마치 러시아워처럼 생각의 사각에서 정체되어 버리고 만다. 한가지는 분명하다. 나는 깬 사람이 될 수 없다. 단지 콩나물시루와 같은 열차 속에 잠이 덜 깬 사람들 가운데 하나다.

그런데 주위를 돌아보니, 그렇게 말하기에 열차 안

은 승객이 뜸하다. 토요일이라도 어느 정도 붐빌 시
간인데 듬성듬성 잡초가 난 듯 한산하다. 그래도 빈
자리를 찾아가 앉지는 않는다. 앉으면 가슴이 쿵쾅댄
다. 아무도 보지 않지만, 누가 주시하는 느낌이 든다.

차창 밖 어둠 속에 빗살을 그리며 열차가 내달리는
것과 달리, 안은 정적이 흐른다. 정적인 공간에, 눈에
띄는 움직임을 가져가기가 꺼려진다. 숨소리조차 어
색하게 느껴진다. 그래서 그냥 선 채로 손에 쥔 책을
성의 없게 읽어 내려간다. 어차피 시간의 틈을 메우
기 위한 것이다. 틈을 메꾼 문구가 다음과 같다.

"만남이 깊어지면 사랑과 그리움이 생긴다. 사랑과
그리움에는 고통이 따르는 법. 사랑으로부터 근심 걱
정이 생기는 줄 알고…… 혼자서 가라."

알아, 알았다니깐 또.

사랑과 그리움에 대해서라면, 언젠가 겉핥기로 읽
은 책이 오히려 인상 깊다. 사랑에 관한 어느 서양
철학자의 에세이, 번역된 제목은 《사랑의 지혜》였다.
하지만 지혜인지 어리석음인지 분간할 수 없는 사랑

은, 결국 서로 사랑하는 것이 아니라고 했던가?

요컨대, 당신이 누군가를 사랑하게 되면 그것은 당신이 그 누군가를 사랑하는 것이고, 누군가는 사랑을 받을 뿐이란 얘기다. 사랑의 지배성, 바로 그 불균등함으로부터 이미 사랑하는 당신은 힘겹고 괴로운 삶을 살게 된다고. 그러므로 사랑은 곧 고통이고, 그런 줄 알면서 그 어리석은 짓을 되풀이한다고 꾸짖는 지혜. 그런 책을, 이제는 아득히 멀어진 누군가가 생일 선물이라며 잘도 내게 건넸었다. 어쩌란 말인가.

아무튼 그래서 (사랑으로부터 근심 걱정이 생기는 줄 아니까) 나는 늘 혼자인가 보다. 혼자서 가라. 하지만 그렇다고 그게 지혜로울까. 그러고 보니 흥미로운 일이다. 동양의 경전과 서양의 철학자 모두 연애관은 크게 다르지 않다. 사랑은 고독하다. 결국 외롭다. 혼자서 가라.

저출산 시대에는 도움이 되지 않을 가르침이다.

환승역이 가까워지자, 책을 덮고 문 앞으로 바짝 다가선다. 잠시 후 덜컹거리며 동굴 밖으로 뛰쳐나간 열차가 미끄러지듯 멈춰서 참고 있던 숨을 토해내듯

문을 열자마자, 서둘러 플랫폼으로 내려선다. 한눈팔겨를이 없다. 냉습한 환승 통로를 지나는 동안, 관성처럼 자꾸 엇나가려는 말의 엉덩이에 채찍을 가하듯발걸음에 힘을 준다. 오늘은 유혹에 빠지는 일이 없어야 한다.

답답한 지하를 벗어나 계단을 오르자, 서광이 비치듯 지상 플랫폼의 모습이 드러난다. 조바심을 느끼며벽에 걸린 시간표를 확인하려는 순간, 다음 열차가도착한다는 안내 방송이 흘러나온다. 다행이다. 일이풀리는 느낌이다. 여기서부터 세 정거장, 그럭저럭 시간에 맞출 것 같다. 여유가 많지는 않지만, 그래도 해야 할 일은 마칠 수 있을 것이다.

갈아탄 열차는 아까와 마찬가지로 한산하다. 생각해 보니 토요일에 학교 가는 일은 처음이다. 학교와가까워질수록 예의 불안감이 되살아난다. 가방 안을확인한다. 이번에는 스스로 부정할 수 없도록 가져온서류를 두세 번씩 매만진다. 하나, 둘, 셋. 하나, 둘,셋. 한동안 잠잠했던 신경증이 도지는 듯하다. 이유없는 강박과 불안, 나는 그것을 복학 울렁증쯤으로여기며 무시하려 애쓴다.

도착해 역을 나서자마자 일단 인적이 드문 근처 골목으로 숨어든다. 거기서 디스 한 개비를 꺼내 문다. 안다. 이래 봬도 예전에는 냄새만 맡아도 얼굴을 찡그렸었다. 누가 그랬다.

"군대가 사람 다 망쳐 놨어."

정말 그럴지도. 나도 그때 처음 손을 댔다. 보급품이었고, 피우면 이상하리만치 소화가 잘되었다. 처음에는 대신 받아 원하는 다른 사람에게 넘겼지만, 차츰 한 가치도 나눠 피우는 전우애의 소중함을 깨달았다. 그리고 '디스 이즈 디 엔드 This is the end'. 이후로는 악연을 끊을 수 없었다. 솔직히 의지도 부족했다. 무언가 태울 것이 계속 필요했고, 악착같이 연기를 내뱉었다.

최대한 구석에 숨었음에도 누군가의 욕설이 들린 듯하다. 그만 꽁초를 비벼 끄고, 학교 정문을 향해 걷기 시작한다. 숨 가쁜 아침, 오랜만에 복귀한 운동선수처럼 숨을 몰아쉰다. 자꾸 발걸음을 의식하게 된다. 거리의 풍경은 과거와 조금도 변함이 없는데, 나만이 변한 듯하다. 그런 느낌에 한걸음, 한걸음이 유독 어색하게 느껴진다. 복학 신청 기간은 일주일간이었음에도 이제야 나온 이유도 (일단 게으름 탓이지만) 이런 기분이 싫었기 때문이다. 아직 방학이지만 꼭 누군가와 마주칠 것만 같다. 반갑다. 오랜만이다. 잘 지냈냐고 인사해야 하지만, 실은 그다지 반갑지 않고 잘 지내지도 못했다.

_먼저 완전히 미쳐야 한다

휴학이 좀 길었다. 주어진 기간을 채운 뒤로도 복학을 한 차례 더 미뤘는데, 말 그대로 개점휴업 상태였다. 이왕 하는 휴학이라면 그동안 뭐라도 해볼 수 있었지만, 아무것도 손에 잡히지 않았다. 그냥 쉬고 있었다.

결국 신경증이 문제였다. 정확히 언제부터였는지 모른다. 아직 십 대였던 시절, 노력한 일이 잘 풀리지 않기 시작했다. 완벽해지고 싶었지만, 허점이 많았고

실수가 잦아졌다. 호의를 품고 다가가도 모두가 나를 반기지는 않듯, 간절한 마음으로 노력해도 좀처럼 원하는 결과를 얻을 수 없었다.

그러던 어느 날, 문득 이미 한 일을 다시 확인해야 할 것 같은 기분이 들었다. 그래서 다시 들여다보는데, 영 개운치가 않았다. 오히려 불안해졌다. 또다시 확인해야 할 것 같았고, 그런 기분이 무한정 되풀이되었다. 그만 무시하려고 해보았지만, 소용이 없었다. 충분히 확인했음에도 그러지 못했다는 생각에 자꾸 의심이 커졌고 다시 확인해야만 했다. 어느 순간부터 나는 신경증에 시달리고 있었다.

증상은 갈수록 심해져 무언가를 암기하기는커녕 책 한 페이지조차 쉽게 넘기기 힘들어졌다. 하지만 나는 흔한 입시병쯤으로 치부했고, 대학에 진학하면 괜찮아지지 않을까, 라는 막연한 희망을 품었다.

이미 원하는 진로를 포기한 다음이었고, 요령과 임기응변으로 근근이 버텼다. 시험을 치르면 지문을 읽다가 '나의 행방'이 묘연해지는 경우가 허다했는데, 나름의 꾀가 통했고, 운도 좀 따른 덕분에 고만고만한 성적표를 받아 적당한 학교에 턱걸이하듯 들어갈 수 있었다.

하지만 대학에 간 이후로도 증상은 지속되었다. 주위에서 입시를 다시 준비해 보는 것은 어떠냐는 권유를 받았지만, 상황을 전혀 모르고 하는 소리였다. 오히려 증상은 일상생활 깊숙이 퍼져 방금 보고 행동한 모든 것까지 다시 확인해야 할 지경이었다.

거창한 예를 들 필요 없이 어디를 가나 문고리를 두세 번씩 돌려야 했다. 그러지 않고 지나가면 다시 돌아와 돌려야만 직성이 풀렸는데, 대수롭지 않은 일상의 순간을 데자뷔처럼 되풀이해야 하는 것은 그야말로 죽을 맛이었다.

물론 문고리는 사소한 부분이었다. 대학 생활은 시작부터 엉망으로 꼬여 버렸다. 좀처럼 학업에 집중하지 못했고, 날라리쯤으로 오해(?)받으며 필요한 '이닝'을 먹은 결과, 학점은 '코리안 특급'의 방어율과 맞먹었다. 그렇다고 캠퍼스의 낭만을 만끽했을 리 없다.

학과와 거리를 두었고, 동아리에 가입하는 일도 없었다. 확인의 범위를 넓히는 것이 피곤할뿐더러, 바라보는 시선을 의식할 수밖에 없었다. 볼수록 거슬리는데 가만히 지켜보는 것에는 한계가 있고, 그렇다고 일일이 사정을 설명하는 것도 번거로웠다. 누가 보든 뭘 반복하든 상관하지 않으면 그만이지만, 피차 신경 쓰일 만한 일을 굳이 만들 필요는 없었다. 게다가 의심이란 전염병과도 같아 끝없이 의심하고 확인하는 사람과 같이 있으면 덩달아 의심을 품게 된다. 나는 그처럼 먹구름을 몰고 다니는 사람이 되고 싶지는 않았다.

동기들은 그렇듯 홀로 동떨어진 좌표로 겉도는 나를 보고 아웃사이더더라거나 자기만의 세계가 있는 녀석이라고 했지만, 다시 말하건대 아무것도 모르고 하는 소리였다.

어정쩡하게 버티다가 일단 군대부터 다녀오기로 했다. 어차피 가야 하고, 몸을 움직이는 규칙적인 생활이 도움이 될 것 같았다. 틀린 생각은 아니었다. 군 생활이 편할 리 없지만, (오히려 그래서) 증상은 잠시 잊고 지낼 수 있었다. 하지만 제대하고 얼마 지나지 않아 깨달았다. 그간 증상은 은폐, 엄폐하며 매복하고 있었다.

때를 기다렸다는 듯 돌아온 증상은 나를 삽시간에 잠식했다. 몸이 한가해져 생각이 많을수록 모질었다.

깨어 있기가 피곤했다. 그나마 잠이 들면 숨통이 트였지만, 그 또한 일시적인 도피처라 잠이 달아나면 아무것도 하지 못하고 멀뚱히 밤을 새우기 일쑤였다. 더욱이 넘치는 수면은 꿈으로 이어졌는데, 거기서도 무언가를 계속 확인하는 악몽에 시달렸다. 날이 밝으면 초췌한 몰골로 오가며 꾸역꾸역 일상을 견뎌낼 뿐, 제대로 해내는 일은 거의 없었다.

주위에 하소연해 봐도 딱히 도움이 되지 않았다. 대수롭지 않게 여겼고, 요즘 따라 생각이 많아서 그렇다거나 피곤해서 그러니까 좀 쉬어 보라는 반응이 돌아왔다. 곁에서 오랫동안 지켜본 가족들마저 좀처럼 이해하지 못하며, 절대 네가 그럴(미칠) 리 없다는 듯 증상의 존재 자체를 부정하려 들었다.

물론 누구에게 의존할 문제는 아니었다. 문제가 있다는 것을 커밍아웃하고 스스로 직면해야 했다. 다만 다른 한편으로, 막상 그러고 나면 낙인이 찍힐까 봐 두렵기도 했다.

"그러다가 확 돌아버리는 거야."

언젠가 누가 그렇게 '정신 이상의 세계'에 입문하는 거라며 겁을 주었던 기억이다. 어차피 세상은 미쳤고,

미쳤다고 인정하는 순간 너만 진짜 미친 것이 된다고
했다. 그럼에도 어쩔 수 없었다. 뭐라도 하지 않으면
어차피 돌아버릴 지경이었다.

　결국 병원을 찾아갔다. 그리고 처음으로 의사에게
증상을 고백했다. 그런데 견디다 못해 간 병원 역시
뾰족한 답이 없기는 마찬가지였다.
　"이런 증상은 1단계부터 5단계까지 있어요. 3단계
를 넘어가면 위험한 거죠. 거기서 5단계까지는 금방
입니다."
　"그럼 저는……."
　"아직 2에서 3단계 사이의 경계에 있다고 볼 수 있
어요."
　"그러면 어떻게 해야 합니까?"
　"일단 지금으로선 **경계를 넘지 않도록 하는 것**이
중요합니다."
　"넘으면 어떻게 되죠?"
　"이런 식으로는 안 되고, 좀 더 본격적인 치료를
받으셔야 합니다."
　"본격적인 치료라면……."

"짐작하시는 대로입니다. 시설에 들어가 치료받는 겁니다. 물론 원하면 지금이라도 들어가실 수 있지만, 되도록 그러지 않는 편이 좋으실 테고요."

"경계를 넘지 않도록 해주실 수 있나요?"

"글쎄요, 장담은 못 합니다. 같이 노력해 보겠지만, 제가 해드릴 수 있는 건 사실 많지 않아요. 지금처럼 이야기를 들어드리고, 도움이 되는 가벼운 약을 처방하는 정도입니다. 말씀드린 대로 경계를 넘으면 다음 방법을 고려해 봐야 하고요."

결국 스스로 극복해야 한다는 말이다. 경계를 넘지 않도록.

"당장은 무엇부터 시작해야 할까요?"

"일단, 가급적 일을 줄이세요. 당분간이라도. 내려놓는 게 좋습니다. 그리고 주기적으로 상담을……."

결국 쉬라는 말이었다. 한심하다고 여길지 모르나, 이후 다시 병원을 찾는 일은 없었다. 돈을 내고 대화(상담)하거나 약에 의지할 마음은 없었다. 그리고 완전히 미쳐야 본격적인 치료가 시작된다면 차라리 미쳐서 갈 생각이었다. 그러기 전에는 더 미치지 않기 위해 모든 일에서 잠시 멀어지기로 했다.

_지난 세기에서 온 복학생

　정문을 통과하자마자 우측으로 꺾어 본관으로 향한다. 휴학한 사이 본관 건물이 새로 들어섰다. 사 층짜리 낡은 건물을 허물고 세운, 고딕 양식과 미래적인 감각이 뒤섞인 혼종의 고층 건물이다. 덕분에 정든 담쟁이덩굴과 미네르바(지혜의 여신) 동산은 사라지고 없다. 동산은 여신이 머무르기에 누추했지만, 없는 것보다는 나았다. 학교를 쉬기 전, 버퍼링 걸린 머릿속에서 이명이 들리면 피난처로 삼았던 공간이다. 물론 새로운 건물은 실용적이고, 많은 사람이 편리하게 이용할 것이다. 크고 높은 것으로 따지면 꽤 멀리서도 보이는 랜드마크다. 다만 가뜩이나 좁은 교정이 더 아담해지고 말았다. 게다가 지혜의 여신은 이제 어디 있으라고…….

물론 장기 이탈자 주제에 변화를 탓할 수 없다. 새로운 본관까지 걷는 사이, 그런 변화를 하나씩 곱씹어 본다. 일단 학번이 바뀌었다. 휴학한 사이 이십 세기는 끝났고, 새로운 세기부터는 기존 학번 앞에 두 자릿수(십구와 이십)를 붙여 두 세기간에 확실한 선을 그었다. 전산상의 문제라든가 그래야 할 여러 가지 이유는 있겠지만, 나는 졸지에 지난 세기의 학생으로 분류되었다.

그런 일에 일일이 동의를 구할 필요까지는 없지만, 일종의 무력감 같은 것을 느낀다. 뭐든 임의로 일제히 갱신해 버리는 분위기다. 마치 "자, 이제 모두 지난 세기는 미련 없이 버리고 다음 세기로 갈아탑시다!"라고 하듯. 깃발 관광객처럼 다들 가니까 따라가는데, 거기에는 진지하게 왜 그래야 하냐는 의문이 결여되어 있다. 자문할 여유를 주지 않고, 그러므로 스스로 신중하게 판단하고 선택할 기회조차 없이 휩쓸리고 만다. 멀뚱히 혼자 뒤처지면 안 된다는 불안과 두려움에 누군가 이미 프로그램 해놓은 '상점' 안으로 군말 없이 따라 들어간다.

고작 학번인데 뭐 딱히 나쁠 것도 없잖아, 하고 그

냥 따르면 되지만, 신경증적 입장에서는 그렇지 않다. 어긋난 두뇌 회로는 미친 듯이 널뛰기 시작한다. 두 자릿수의 추가는 곧 변수의 증가다. 당장은 별 의미 없어 보여도, 굳이 그런 것을 (시간과 비용을 지불해) 바꾼다는 것은 거꾸로 상당한 의미를 지닌다는 것을 암시한다.

일단 학번을 만들어 발급하는 입장에서는 항구적인 (과연 그날이 올지 모르겠으나 적어도 9999년까지 유효한) 학번 체계가 마련되었다. 대신 우리는 이탈할 수 없는 (거의 완전한) 체계 안에 수렴되었다. 숫자는 그 속에서 '나'를 대변하고, '나'는 숫자로 표현된다. 주어진 숫자에 대한 다른 해석의 여지는 없다. 숫자의 조합이 정밀해질수록 그로부터 숨을 구석은 없어진다.

문과 아니랄까 봐 허튼소리 한다지만, 문과이기에 숫자에 대한 두려움을 가진다. 과거(그러니까 지난 세기)의 학번에는 그래도 여지가 남아 있었다. 가령 19XX와 20XX에서 19와 20을 빼면, 우리는 백 년 뒤 서로 중복되어 구분되지 않는 XX가 되니까, 적어도 사후에는 주어진 숫자의 조합에서 벗어날(자유로

워질) 수 있었다.

반면 두 자릿수를 더해 나와 (거의) 완벽하게 등가를 이루다시피 하는 신세기의 숫자 조합은 불편하다. 거기서 벗어날 가능성은커녕 세상을 떠난 다음에도 그 숫자는 유효해, 누군가 시스템에서 조회하면 나는 무기력하게 노출될 것이다. 그런 불쾌한 일은 없기를 바라는 마음이다.

그러므로 "왜?"라고 묻고 싶다. 꼭 그래야 했나, 너무 일방적이고 편의적인 것은 아닌가……. 수기로 서류를 작성하거나, 전산의 네트워크가 아직 파편화되어 있던 시절은 이보다 적은(불완전한) 숫자로도 충분했다. 서류(기록)는 수명을 다하면 파쇄되었고, 그 안에 적힌 숫자도 함께 잊혔다. 그러고도 세상은 정상적으로 돌아갔다. 다시 말해 나는 완전히 수치화되지 않아도 되었고, 그것을 나에게 강요할 권리 또한 누구에게도 없었다.

그런데 뉴 밀레니엄의 혼란을 틈타 모두 바뀌었다. 동의도 없이 슬쩍 앞 두 자릿수를 추가해, 좀 더 세밀하게 분류되고 명확하게 정의될 수 있는 숫자의 체계 안으로 나를 편입시켰다. 대상(자료)을 유한한 자릿수의 숫자로 나타내는 것이 디지털이라면, 나는 (9999년이 될 때까지) 이제 디지털 세상 속에 완전히 수치화된 대상이다. 전산상으로 내 '숫자'를 확인한 누군가가 말한다.

"어, 지난 세기네요? 지난 세기는 저쪽으로……."

너무 과민하다. 이래서는 머리가 지끈지끈 아플 뿐이다(머리에 스팀이 날지도 모른다). 굳이 이럴 것까지는 없을지도. 일찍이 지금을 예상 못 하고 지난 세기의 학번을 매겼듯, 앞으로의 학번이 어떻게 될지도 까마득한 일일 뿐이다. 늘 그랬듯 필요하다고 늘렸다가 너무 길다며 다시 생략할 수도 있으니까. 그러다가 서력이 끝나고 우주 세기라도 시작되면, 그때는 다 리셋이다. 다음 천년이 온다는 보장도 없는 마당에, 그냥 그렇다는 거다.

다만 세기가 바뀌어 돌아온 이탈자의 마음이 그렇다. 그냥 좀 그대로여도 괜찮을 텐데…… 꼭 뭐라도 바꿔야 직성이 풀리는 듯 호들갑이다. 밀레니엄 버그도 기우에 지나지 않았는데 말이다.

만약 선택할 수 있다면 나는 여지를 남기고 싶다. 빠져나갈 수 없는 체계 안은 숨쉬기 어려울 뿐이고,

나는 그 숫자가 아닐 수 있다는 가능성과 함께 숫자 밖에 숨을 권리를 가지고 싶다. 그러므로 단지 맹목적 흐름에 따라 발급자(기관)의 편의를 이유로 (거의) 완전한 숫자의 체계 안에 일방적으로 편입되어야 한다는 것에는 동의하기가 어렵다.

아니면 유독 나만이 시류에 따르지 못하는 걸까? 물의 기름처럼 둥둥 떠 홀로 뒤처지는 걸까? 그러면 십구에서 이십으로 넘어가며 바뀌어야 했던 것은 숫자가 아니라, 나였다. 그렇다면(그럴 수 있다면), 차라리 내 안의 무언가를 확 뒤집어 버리고 싶다고 생각한다.

문득 억겁의 세월(한 만 년 정도)이 지나, 나 같은 복학생이 존재하면 어떤 모습일지 상상해 본다. 매사 바뀌는 것들마다 툴툴대는 녀석인데, 학번 조회만으로 그런 이력이 모두 검색된다. 그때는 우주에서 선생 대신 AI가 학생을 가르치고, 녀석과 같은 학생은 솎아내 순순한 인조인간으로 개조해 버릴지도 모른다. 또 누군가가 말한다.

"이 학번은 졸업할 수 없습니다. 개조하십시오."

망상이 한계치에 다다른다. 미치겠다. 하지만 지금

은 먼저 해야 할 일이 있다. 복학에 성공해야 한다. 나는 망상 속을 헤맨 끝에, 복학 신청서의 학번 기입 란에는 반드시 앞에 십구라는 숫자를 먼저 써넣어야 한다는 사실을 환기한다. 바뀐 학번은 좀처럼 입에 붙지 않는다.

접수처는 새로운 본관 일 층에 있다(고 홈페이지에 나와 있었다). 반들반들한 입구 계단으로 올라가 무거운 현관문을 밀고 들어간다. 건물 안은 생각보다 어둡다. 새 건물에 어울리지 않는 음침함이 감돌고 있다. 랜드마크를 지어놓고 전기세를 아끼는 것은 또 무엇일까.

눈이 어둠에 적응하자 우측 복도 끝에 녹색 표지판이 걸려 있는 것이 보인다. 학사종합지원센터. 제대로 찾아왔다는 생각을 뒤로하고 표지판을 향해 긴장된 마음으로 다가간다.

예전에 한 선배가 군대를 다녀와 복학 신청을 했을 때의 에피소드가 떠올랐다. 국가에 너무 충성했던 나머지, 학생의 본분을 까마득하게 잊은 그는 순간 자신의 학번을 기억해 내지 못했고, 센터 직원은 그런 그가 무안해질 만큼 빈정거리며 면박을 주었다.

"자기 학번도 몰라?"

좀 따뜻하게 대하면 어때서, 라고 선배는 대인 기피증이 생길 듯한 일화를 풀어냈었다. 어쨌거나 그런 얘기를 들었으니 나도 위축되기 마련이다. 속으로 다시 새로운 세기의 학번을 읊어본다. 이거 이래서야 세상 살기 너무 번거롭다.

"후우厚遇……."

문 앞에서 한차례 날숨을 내뱉은 뒤 안으로 들어가려 한다. 그런데 이상하다. 문이 열리지 않는다. 분명 안은 불이 켜져 있다. 주위에서 유일하게 불이 켜진 곳이다. 다시 힘을 주어 밀어 본다. 그래도 문은 꿈쩍도 하지 않는다. 당겨도 보고 몸으로 밀어도 보지만 소용이 없다.

영문을 몰라, 왔던 길을 다시 되돌려 건물 밖으로 나온다. 손목시계를 내려다보니 아직 오전이다. 여유가 있다. 혹시나 해 주위를 둘러보지만, 교정은 더없이 평화로운 분위기다. 당연히 데모나 파업 같은 일이 벌어진 기미는 없다. 그런 것은 지난 세기에 다 버리고 온 듯하다. 외계인이 침공했을 리도 만무하다.

그러니까 지금 학사종합지원센터가 문을 닫고 있어야 할 '징조'는 어디에도 없다.

갸우뚱하며 다시 시계를 확인하지만, 역시 시간은 그대로다. 세상에 시간만큼 변함없는 건 없다. 사랑과 우정이 역행해도 시간은 정방향으로 흐른다. 빨라지 거나 느려지지도, 폴짝 건너뛰지도 않는다. 그런 것은 사이언스 픽션에나 나올 법한 얘기라며 나는 시간을 확인한다. 젠장, 이미 확인한 시간을 또 확인하니 신 경증이 도진 듯하다. 어쩐지 일이 번거로워지고 있다.

그러고 보니 새로운 본관 주위에는 사람이 없다. 역에서 내려 여기까지 걷는 사이에도 이랬나? 그래서 문득 떠올린 이유가 새 건물은 아직 정식으로 열지 않았다는 것이다. 멀쩡히 지어놓고 무슨 이유에서인 지 아직 완전히 이전하지 못한 것이다. 혹은 명당 자 리를 두고 추첨이라도 하고 있는지 모른다. 어쨌든 그렇다면 다른(임시 본관으로 쓰던) 건물로 가보기로 한다. 일단 거기로 가면 필요한 답을 얻을 수 있을 것 같다. 그곳의 경비실에 물어보는 것도 방법이다.

교정을 가로지른다. 나의 방황에도 아랑곳없이 교 정은 주말 기운에 젖어 있다. 머리 위의 푸른 캔버스는 나무랄 데 없이 맑고, 어디선가 출처가 불분명한 웃음소리가 들려온다. 언젠가 방문한 유명 인사가 풀어 놓았다는 비둘기들은 못 보던 사이 수가 더 늘었다. 그들은 더 이상 날지 않고 작은 분수 주위를 걸어서 서성인다. 지금은 그들이 이 학교의 실질적인 주인인 것 같다. 오래 버티며 비킬 생각이 없다면 실질적인 점유를 인정해야 한다. 그들로서는 다행이라고 할 수 있다.

새로운 본관과 사라진 지혜의 여신을 제외하면 학교는 대체로 변치 않은 모습이다. 새천년이 어쩌고 학번이 저쩌고 했지만, 다시 돌아온 것에 대한 소회는 남다르다. 심경이 좀 복잡한데, 그보다 걱정이 앞서기도 한다. 곧 맞이할 가을은 인고의 계절이 될 것이 분명하기 때문이다. 졸업까지 아직 이수하지 못한 학점이 많다.

"좋은 시절 다 갔네."

새로운 본관에서 멀어지니까 비로소 익숙한 풍경이 모습을 드러낸다. 무엇이 그리 좋은지 풋풋한 신입생들이 키득거리며 지나간다. 운동장 귀퉁이의 풀밭에 앉은 커플도 눈에 들어온다. 그들은 오늘을 위해 근사한 계획을 세우고 있을지 모른다. 어쩌면 그 계획은 엉망진창이 되어 버릴지도. 좀 심술궂어 보이지만 지금은 무엇을 좀 망쳐도 좋은 시절, 여하튼 내 심정이 그러하다는 것뿐이다.

작지만 캠퍼스는 캠퍼스다. 집에만 틀어박혀 지내다 보니 이 정도 움직임만으로도 힘겹다. 걷다 보니 하늘이 파랗다 못해 녹색으로 보일 지경이고, 입에서 신물이 난다. 그래도 묵묵히 발걸음을 옮겨 마침내 목적한 건물 안으로 들어선 나는, 다짜고짜 보이는 경비실의 창문을 열며 묻는다.

"학사종합지원센터는 어디 있는 겁니까?"

숨 가쁘게 걸어온 탓에 내뱉은 말이 좀 거칠다. 무언가에 열중해 있던 경비 아저씨가 놀란 듯 고개를 들어 바라본다. 연세도 있고 눈매가 매서운 분이다. 위아래로 훑어보는 날카로운 시선에 좀 전의 기세는 수그러들고, 몸이 여기저기 관통되는 기분으로 더듬더듬 사정을 설명한다.

"아니, 저…… 복학 신청 좀 하려고 합니다."

그러자 그는 아무 말 없이 손가락으로 위쪽을 가리킨 다음, 도로 고개를 숙인다. 잠시 움찔하며 서 있던 나는 몇 걸음 물러나 그가 가리킨 방향을 바라본다. 경비실의 흰 벽과 천장이 만난 경계 아래 벽시계가 하나 걸려 있다. 여느 사무실에서나 볼 수 있는 검정 바탕 위에 붉은 숫자를 끔뻑이는 전자시계, 분명 시간은 아직 괜찮다. 하지만 묘한 불안감이 엄습한다. 어쩔 줄 몰라 멀뚱히 서 있는데, 다시금 경비 아저씨의 시선이 느껴진다.

"뭔가 착각한 모양인데, 근무는 금요일까지야."

벽시계의 요일은 흙 토土를 표시하고 있다.

아차, 주 5일 근무! 지난 세기에서 온 복학생은 세상 참 어렵게 산다.

_어떻게 해야 할까

그만 집으로 향한다. 목적을 이루지 못하고 돌아가는 길은 몹시 허망하다. 물론 무슨 방법이 있을 것이다. 나만은 아닐 테고 누구나 실수하기 마련이니까, 구제하고 만회할 장치는 늘 있다고 믿는다. 아니, 믿어야 한다. 그래야 주말을 견딘다. 하지만 곧 그 생각을 의심하게 된다. 과연 그럴까? 그래도 안 되면……이래서는 버티기 어렵다. 나는 이럴 때 쓰는 극약 처방을 내린다. 그래도 안 되면? 뭐, 안 되는 거지. 까짓거 못 하면 어때서.

도망치듯 정문을 나서는데, 어느새 비가 내리기 시작한다. 우산은 없다. 하지만 예상할 수 없는 비에 익숙해져야 한다. 비가 오자 보도 바닥 틈에 고여 있던 흙과 먼지도 몸부림치듯 빗물 위로 떠오른다. 싫어도 소용없다. 오는 비는 맞아야 하고 튀어 오른 흙탕물에는 젖을 수밖에 없다.

질퍽질퍽한 발걸음으로 전철역에 들어간다. 열차를 기다리며 플랫폼에 서 있는데, 곧 열차가 들어오니 안전선 뒤로 물러나라는 방송이 들린다. 문득 나는 노란 안전선에 너무 바짝 다가서 있다는 느낌에 몇 걸음 뒤로 물러선다.

별일 아닌데, 몇몇 사람들이 그런 나를 주시하는

기분이다. 요즘 들어 나를 보는 타인의 시선이 유독 불안하게 느껴진다. 신뢰할 수 없다는 듯하다. 어쩌면 그것은 내가 나를 보는 시선을 반영하는지 모른다. 타인의 아무렇지 않은 눈길을 그렇게 의식하듯, 나는 나를 신뢰하기 어렵다. 아, 극약 처방이 통하지 않는 느낌이다. 안 되도 어쩔 수 없다는 달관의 경지에 이르기에는 아직 멀었다. 미련을 두고 집착하며 혼자서 가지 못한다.

이제 어떻게 해야 할까. 정신이 건강한 사람은 차분히 눈앞의 일부터 해결할 것이다. 일단 주말까지 기다렸다가 월요일이 되면 학교에 문의해 방법을 알아볼 것이다. 혼자 수선을 떤다고 될 일이 아니다. 또무슨 방법이 있겠지, 하고 편하게 마음먹어야 한다. 하지만 나는 그것으로 충분하지 않은 것 같다. 눈앞의 일에 집중할 수 없다. 그보다 근본적인 질문이 아닐까…….

이제 어떻게 해야 할까. 얼른 떠오르는 건, 이미 **경계**를 넘어섰다는 것이다. 그렇다면 오히려 깔끔하다. 다시 의사를 찾아가 본격적인 치료를 시작해야 한다. 그러면 학교는, 그것도 무슨 방법이 있을까?

아니면, 이제 어떻게 해야 할까. 심장이 자꾸 불안한 리듬으로 요동친다. 가쁜 숨을 달래며 천천히 긴 한숨을 토해내지만, 그것만으로 고삐 풀린 마음을 다스리기가 어렵다. 그런 사이 다시금 열차의 도착을 알리는 안내 방송이 들려온다.

"○○행, ○○행 열차가……."

열차가 막 플랫폼 안으로 들어온다. 안전선에 붙어서며, 스스로에게 되묻는다. 그래서 이제 어떻게 해야 할까.

열차가 멈추자 문이 열리고, 나는 안전선 밖으로 한 걸음 나아간다.

너와 너

덜컹거리는 열차와 함께 봄의 기억이 되살아난다.

나에게 지난봄은 온통 너였다. 다만 너와의 만남은 시작부터 이별을 예고한 짧은 계절과 같아, 마음에 담은 순간 이미 지나간 기억이 되고 말았다.

어느덧 여름이 가고, 벌써 낙엽이 지려 한다. 언제나 그렇듯 그리운 기억은 느닷없이 떠오르지만, 아련한 추억의 잎은 곧 축축한 바닥 위로 떨어질 것이고, 앙상한 가지 위에 남을 것은 바람에 위태로이 흩날릴 미련뿐일지도 모른다.

_환승의 기억

지난봄, 나는 종종 도시 외곽으로 향하는 열차에 몸을 실었다. 늘 이용하는 노선에서 내려, 모든 세상살이가 (일과 약속이) 밀집한 도심으로 향하는 대신, 그 반대의 완행 열차로 갈아탔다. 그런 다음 태엽이 풀리듯 도심의 궤도를 서서히 벗어나 한적한 외곽의 어느 소도시로 향했다.

그때 그곳에서 우리가 만나 무엇을 했고, 어떠한 대화를 나누었는지는 벌써 까마득한 기억이 되었다. 부푼 마음으로 궤도를 이탈해 너에게 가는 열차에 올랐던 순간에 비하면, 그런 세세한 기억들은 어쩌면 신기루와 같을지도 모르겠다.

그럼에도 오롯이 남아 있는 기억이라면, 완행 열차의 진득한 공기와 그 속을 듬성듬성 채운 나른한 사람들, 그리고 차창 밖으로 튀어 나갈 듯 두근대던 나의 심장 소리다.

본 궤도의 열차를 타고 분명한 목적을 가진 채로 도심의 어딘가로 향하는 지금도 그 순간이 떠올라 자꾸만 흔들린다. 여기서 내려서 반대 방향으로 몸을 실으면, 너를 만나러 갈 수 있다.

아니, 만나러 갈 수 있었다는 표현이 이제는 옳다.

_세상의 끝

얼마 전 나는 두 명의 너와 만났다. 물론 동시에 두 명의 너와 만날 재주는 내게 없었다. 둘이 같은 사람이라고 믿었을 뿐이다.

너와의 시간도 어느덧 여름의 끄트머리에 이르러 있다. 뉴스에서는 다소 뻔뻔한 일기 예보가 흘러나오고 있다.

"올해는 이상 기후의 영향으로 기온이 현저히 떨어져 마치 겨울과 같은 가을 날씨가 이어지겠습니다."

어이쿠, 여름에서 곧장 겨울이라는데 참 잘한다는 기분이다. 다들 언제부터 이런 급격한 날씨의 변화에 둔감해졌을까, 대수롭지 않게 넘기는 투가 영 마음에 들지 않는다. 하지만 나도 무덤덤하기는 마찬가지다. 뉴스가 끝나기 무섭게 (굶주린 북극곰이 유빙을 타고 떠내려가는 공익 광고가 나오기 전에) 채널을 돌린다. 별 뜻 없이 멈춘 화면에 케이블 드라마가 한창이다.

"혹시 우리 만난 적 있지 않나요?"

어디서 들어본 대사다. 언젠가 내가 너에게 그랬던 것 같다. 혹시 만난 적이 있지 않냐고. 나는 TV의 전원을 아예 꺼버린다. 모르면서 안다고 하는 뻔뻔함에 발작하듯. 그때 (그렇지 않은 벨 소리가 있겠냐마는) 갑작스레 전화벨이 울린다. 너다. 전화를 받자, 네가 말한다.

"지금 나올 수 있어?"

시간은 이미 밤 아홉 시를 넘어가고 있다.

다시 시간을 거꾸로 돌려본다.

지난겨울, 너와 나는 그 바다의 황혼을 함께 바라보고 있었다. 좀 더 분명히 하자면, 절대 섞이지 않는 두 바다가 만나 '세상의 끝'이라 불리는 곳, 그 붉게 달아오른 배경 속에서 내가 너를 발견했다.

너는 황혼의 정령처럼 붉게 물든 셔츠를 팔랑이며, 밭은 숨으로 출렁이는 파도를 향해 서 있었다. 파도는 거칠지만 너는 고요했다. 거센 파도에 휩쓸릴 듯 가까이 다가서 피하지 않는 모습에 나는 눈을 뗄 수 없었다. 저러다 홀딱 젖겠다고 생각했다.

그럼에도 너는 미동조차 없었다. 마치 네가 황혼이고 황혼이 곧 너라는 것처럼. 나는 박물관에 진열된 유물을 유심히 살펴보듯 그 자리에 멈춰 섰다. 그렇게 할 수밖에 없었다. 그리고 정신을 차렸을 때는 이미 나도 모르는 사이 조금씩 네가 서 있는 곳으로 다가가고 있었다. 이런 일에는 젬병이면서 무슨 일이지 싶으면서도 이미 신발에 들어간 모래는 빼내기가 어려웠다.

물론 그러거나 말거나 너는 그 자리 그대로 서 있을 뿐이었다. 곁에 누군가 다가가는 것을 딱히 의식하지 않았다. 시간이 필요해 보였다. 나는 조금 간격을 두고 나란히 서서 말없이 네가 바라보는 곳을 함께 바라보았다.

미지의 일행과 바라보는 풍경은 무척이나 아름다웠다. 섞이지 않는 두 바다가 만난 곳을 새빨갛게 타오르는 노을이 상련하고 있었다. 하지만 솔직히 말해, 신비로운 자연이 보여주는 장관에 진심으로 감동할 수 없을 만큼 나는 너를 더 의식하고 있었다.

약간의 시간이 흐르고, 언뜻 너의 시선이 느껴졌다. 하지만 그 눈길은 곧 바다로 다시 향했고, 나는 차분히 '너를 먼저 찾아온 손님'이 떠나기를 기다렸다. 불청객이 되기는 싫었다. 그렇게 황혼의 자투리 잔광마저 검은 바닷속으로 자취를 감출 때쯤, 비로소 네가 (마치 다음 손님의 주문을 받듯) 나에게 말을 건넸다.

"혹시 한국 분이세요?"

미처 생각하지 못한 '더빙'에, 나는 잠시 당황할 수밖에 없었다. 너의 말대로 나는 한국 사람이 맞지만, 너는 누가 봐도 한국인은 아니었다. 회색 머리칼에 파란 눈, 사리 분별이 뚜렷한 이목구비를 가지고 있었다. 물론 외국인이 한국말을 잘한다고 너무 놀랄 것은 없었다. 대신 나의 어설픈 영어 따위는 목구멍으로 도로 삼켜야 할 듯했다.

서로 약간의 대화가 오갔다. 오길 잘했다는 명불허전의 멋진 풍경에 대한 찬사와 공감, 그리고 어디서 왔는지 등으로 이어지는 평범한 대화였다. 다만 으레 걷던 걸음걸이가 의식하면 막상 꼬이듯, 나는 자꾸 말을 더듬었다. 한국어가 유창한 외국인 앞에서 스스로 내뱉는 말들이 되레 어색하게 느껴졌던 것 같다. 내가 말했다.

"차라리 그쪽이 한국 사람이라고 해야겠는데요?"

무해한 농담으로 분위기는 더욱 밝아졌다. 너는 그 말이 마음에 든 듯했고, 나도 대화가 한결 편해졌다. 나는 너에게 호감을 느끼고 있었고, 호기심이 동했다. 물론 궁금하지만, 초면이라 묻지 못하는 것이 많았다. 특히 외모와 언어가 매칭되지 않는 것은 여러 가지를 상상하게 했지만, 당장 캐묻기는 어려웠다. 한편 너도 기대 이상의 호의를 보였다. (어떤 계기로 배웠는지) 연습 상대 삼아 가능한 한국말을 써보고 싶은 것도 같았다.

"슬슬 추워지네요, 그만 갈까요?"

우리는 그렇게 파도에서 멀어졌고, 백사장을 지나

해변의 방갈로 쪽으로 향했다.

지난 연말이었다. 다들 지난 시간을 뒤로 하고 슬슬 새로운 희망을 품을 시기, 나는 무리를 이탈한 순례객처럼 홀로 '세상의 끝'으로 향했다.

왜 하필 거기냐는 주위의 물음은 내게 아무런 장애가 되지 않았다. 단지 무기력한 삶의 흐름에 좀 나른해져 있었고, 흘러가는 대로의 물길 끝에 무엇이 있을까 보고 싶었을 뿐이다.

노력 끝에 악플이 달리거나, 아무리 몸부림쳐도 악플조차 달리지 않는 삶에 지쳐 있었다. 가망 없는 첫 직장을 나와 몇 번의 구직에 실패한 뒤였고, 무언가를 원해도 실망스러운 결과부터 예감하고 있었다. 마음속 깊이 품어온 꿈이 있지만, 그것이 비현실적이라는 것은 누구보다 잘 알고 있었다. 얼마 되지 않는 퇴직금까지 씨를 말리며 여행을 떠난다니 철없지만, 그밖에는 딱히 행동에 옮길 만한 일이 없어 보였다. 일하지 않으면 백수지만, 백수는 어디든 떠날 수 있으니까.

그리하여 나는 '세상의 끝'에 닿았다. 그사이 해는

차분하게 바뀌었고, 애초 계획했던 것보다 체류 기간
은 길어지고 있었다. 그만 돌아가야 했지만, 좀처럼
그래야 할 이유를 찾지 못하고 있었다. 엄두가 나지
않았다는 말이 더 맞을지도 모른다. 마땅한 때를 기
다려야 했다. 모자란 체류비를 벌충하기 위해 아끼던
시계와 카메라 그리고 워크맨까지 팔면서도 그랬다.

그러던 어느 날, 뜻하지 않은 삶의 변주처럼 우연
히 인생의 위도와 경도가 겹쳐, 너와 내가 한날한시
같은 바다의 한 지점에 놓여 있었다.

"잠깐 있다가 갈래요?"

동네 어부들이 피워 둔 모닥불이 지나가던 우리를
붙잡았다. 이대로 가면 아쉬우니까, 가까운 곳에서 맥
주를 가져와 분위기를 내봐도 좋을 것 같았다. 그러
자고 동의를 구하자, 너도 고개를 끄덕였다. 의외성이
야말로 여행의 재미고, 어차피 '연료'를 좀 채워가도
무해할 시간이었다.

모닥불을 두고 나란히 앉자, 조명을 받은 얼굴의
명암이 더욱 뚜렷해졌고, 너는 마치 이국적인 석고상
처럼 보였다.

대화는 자연스럽게 이어졌다. 너나 나나 숫기는 없어 보이지만, 모닥불의 따스한 온기가 서로 간에 세워진 벽을 어느 정도 허물어 주었다. (다행히) 나의 한국말도 처음보다는 한층 자연스러워졌다.

우리는 꽤 오랜 시간 대화를 나눴다. 정확히 무슨 내용이었는지, 이제 대부분 흐릿한 기억으로 남아 있을 뿐이지만, 그래도 몇 가지 잊을 수 없는 대목이 있다.

너는 스위스인이라고 했다. 교환 학생으로 한동안 한국에 머물렀는데, 원래는 본국으로 돌아가 간호사가 되려 했지만, 불교에 귀의하게 되었고, 이 여행을 끝으로 출가할 생각이라고 했다.

"잠깐만, 스님이 된다고요?"

"네."

"한국에 머문 것과 관련이 있나요?"

"어느 정도는. 덕분에 한국뿐 아니라 주변 나라의 여러 사찰을 둘러볼 수 있었고, 그러다가 불교에 빠지게 됐거든요."

"그럼 머리는······"

"곧 다 밀어 버려야죠."

물론 불교는 세계 종교니까, 드문 일이긴 해도 어디서 스위스인 (예비) 스님과 마주치지 말란 법은 없다. 불교에 심취한 서양인을 본 것도 처음은 아니다. 태어나 처음 불교를 접하거나 절을 방문한 서양인들 중에 깊은 인상을 받고 매료되는 경우가 적지 않다.

신자가 아닌 나도 여행을 가면 가까운 절은 꼭 방문한다. 신앙과 무관한 순수한 경의다. 믿음이 어떻든 내가 자라온 땅의 사상과 문화에 지대한 영향을 끼쳤으니, 그 자장권에 속한 몸과 마음이 본능적으로 반응한다고 볼 수 있다.

하지만 출가는 좀 다르다. 그렇다고 출가를 결심할 사람은 드물다. 아무래도 오늘날 절이 산으로 들어간 까닭도 있는지라, 평범한 사람이 속세를 버리고 절에 들어간다는 것은 현실과 먼 얘기로 여겨진다. 이렇게 말하면 실례지만, 사연이 있어 보인다. 그런데 너는 그런 허들 따위는 훌쩍 뛰어넘은 듯했다. '세상의 끝' 또한 순례를 온 것이라고 했다. 그러고 보니 너는 눈앞에 놓인 맥주에 전혀 손을 대지 않고 있었다.

어느덧 모닥불이 식어가고 있었다. 처음에는 몇 마

디 말을 건넸던 동네 어부들도 낯선 언어로 둘만의 대화에 빠진 우리에게 관심이 멀어진 뒤였다. 우리는 몸을 녹일만한 장소를 제공한 그들에게 감사를 표하고 그만 자리에서 일어났다. 아까 맥주로 이미 자릿값은 대신했고, 서로 행운을 빈다는 말로 인사를 갈음했다.

밤이 짙게 내린 해변을 멀리 방갈로의 레스토랑이 외로이 밝히고 있었다. 식사를 권해 보았지만, 너는 그만 가봐야겠다며 사양했다. 어느 정도 예상한 반응이었다. 거기까지. 그만 헤어져야 했다. 아쉬운 마음에 무언가 특별한 인사를 건네고 싶었지만, 무사히 스님이 되란 말은 좀 이상할 것 같았다.

"좋은 여행 되세요."

"그쪽도."

숙소는 서로 반대 방향이었다. 황혼과 함께 밀려왔던 너는 밤의 썰물과 함께 사라졌고, 나는 짙은 어둠 속으로 점점 녹아드는 너의 뒷모습을 가만히 바라보았다.

네가 시야에서 사라지고, 나는 숙소로 돌아가는 대신 방갈로의 레스토랑으로 들어갔다. 거기에 남아 홀로 술잔을 기울였다. 어쩌면 돌아올지도 모른다는 기대를 품고 있었던 것 같다. 가령 무언가 하려던 말을 깜빡했다면서. 하지만 (당연하게도) 너는 그러지 않았다. 그러고 보니 이름도 제대로 묻지 못했다.

그만 돌아가자. 문득 그런 생각이 들었다.

_어디서 본 사람

너를 다시 발견한 것은 '세상의 끝'에서 돌아와 한 달이 지날 무렵이었다. 네가 분명했다. 눈은 푸르지 않고 머리카락은 흑발에 조금 길어졌지만, 석고상 같은 얼굴이 너의 기억을 상기시키기에 충분했다. 순간 전율에 휩싸였다. 여기는 어떻게…… 따위를 따질 여유가 없었다.

목격한 곳은 혼잡한 시내의 대형 서점, 나는 일정한 간격을 두고 너의 뒤를 따랐다. 무엇을 기대하거나 뚜렷한 목적이 있었던 것은 아니다. 놓치지 말라는 본능의 목소리가 아우성쳤을 뿐이다. 어쩌면 줄곧 머릿속으로 그런 재회의 이미지를 그려왔을지도 모른다. 그리고 그 이미지가, 상상이 현실로 이뤄진다면 주저할 리 없다. 그냥 보낼 수 없다.

너는 특히 여행 코너에 오래 머물렀다. 책으로 범람한 서가를 훑다가 새삼 '세상의 끝'에 관한 책을 꺼내 보는 모습에, 마음속으로 훈풍이 불어왔다. 틀림없다는 확신이 생겼다. 속세를 버리지 않은 것이다. 그렇다면 사바세계에 머물러야 할 이유를 찾은 것일까.

한참 후에야 비로소 너는 서점을 나섰다. 밖은 이미 어두워져 있었다. 네가 거친 인파를 거슬러 가까운 역까지 걷는 동안, 만감이 교차했다. 눈앞을 스쳐 가는 모든 장면이 롱 테이크처럼 길게 이어지는 느낌이었다. 물론 느낌일 뿐, 실제 너의 발걸음은 생각 외로 빨랐고, 나는 놓치지 않기 위해 좀비처럼 사람들 틈을 비집고 쫓아가야만 했다. 그렇게 마침내 전철역 입구에 다다른 순간, 나는 놓칠세라 네 앞을 가로막고 황급히 말을 꺼냈다.

"저기요!"

너는 흠칫 놀라 뒷걸음치며 나를 바라보았다.

"혹시 우리 만난 적 있지 않나요?"

붐비는 밤거리, 누군가 뜬금없이 말을 걸었을 때 네가 무슨 생각을 했을지 나는 모른다. 거리의 짙은 소음 속에 메마른 목을 축이듯 내가 삼킨 침 소리만 선명하게 들릴 뿐이었다. 나는 잠시 그대로 기다렸다. 안면인식 다음에 어떤 반응이 돌아올지 모르니, 다만 그러고 있을 수밖에 없었다.

약간의 시차를 두고 너의 경계심이 다소 누그러지는 듯했다. 너는 깜빡이는 갈색 눈으로 내게 물었다. 누구죠? 내가 아는 분인가요? 나는 다시 말했다.

"어디서 뵌 것 같아서요."

"글쎄, 어디서요?"

"세상의 끝에서요."

내뱉고 보니 좀 민망했다. 길에서 사람 앞을 가로막는 것도 좀처럼 하지 않을 행동이지만(가능하다면 지인이라도 모른 척 지나갈 것이다), 만난 곳이 '세상의 끝'이라니 내 입에서 나온 소리가 내 귀에도 어처구니없게 들렸다.

그래서인지 자신이 없어졌다. 정말 네가 맞을까, 혹

시 모르는 사람이면 오해라며 얼른 사과한 뒤 물러나야겠다고 생각했다. 그런데 그때 입가에 미소를 띠며 네가 말했다.

"거기 있었다면, 그럼 우린 서로 알아야 하나요?"

그것으로 상황은 바뀌었다. 믿기 어려울 만큼 확신에 찬 말이 (마치 준비되어 있었다는 듯) 입 밖으로 흘러나왔다.

"잠시지만 함께 시간을 보냈죠."

그러자 너는 고개를 갸웃하며 반신반의한 표정으로 나를 바라보았다. 아무래도 당장 판결 내리기는 어려운 모양이었다. 대신 지금은 급히 가야 할 곳이 있다며, 가지고 있던 다이어리를 한 장 찢어 연락처를 적어 주었다.

"정말 만난 적이 있다면……."

네가 떠나고 생각했다. 무수한 인파 속에서 알아볼 정도라고, 다른 것 말고는 다 같다고. 눈은 렌즈를 끼우면 되고 머리도 염색하면 그만이니까, 틀림없는 너라고. 누군가 세상 끝에서 우연히 만나 스님이 된다던 스위스인이 어떻게…… 라고 하더라도, 나는 그렇게 믿기로 했다. 기억에는 오차가 있기 마련이고, 기억의 순도만을 고집할 필요 없으므로 그렇게 믿는다는 것이 무엇보다 중요했다.

물론 좀 더 저울질해 볼 수도 있을 것이다. 너라는 믿음과 진실 간의 싱크로율이 얼마나 될지 말이다. 냉정히 말해 외모만 좀 다른 것은 아니었다. 전체적으로 풍기는 분위기랄까, 세상 끝의 너는 (좋은 의미로) 좀 느릿했고, 스님이 될 사람답게 말과 행동에 여유가 있었다. 반면 방금 다시 만난 너는 무척이나 분주했다. 달이 뜨고 종소리가 울리면 어딘가로 돌아가야 하듯 바삐 서둘렀다. 비유하자면 그것은 카트만두의 순례자와 뉴요커만큼의 차이다.

그러나 여행과 일상의 너를 동일시할 수는 없다. 게다가 차이부터 따지는 것은 무용한 일이다. 그래서 무엇하나, 네가 아니라면 그것으로 끝일 뿐이다. 그보다는 너라고 믿고 싶었다. 그것은 운명에 대한 믿음이기도 했다. 나에게 진실을 초월한 믿음이 있다면 그것은 다름 아닌 운명, 이렇게 만난 것은 운명이 아닐 수 없다고 생각했다.

그러므로 무엇이 같고 무엇이 다른지는 일단 중요치 않았다. 여행에서의 짧았던 만남, 어차피 너에 대해 무엇을 안다고 할 수 있을까. 다시 만나고 싶다던 소망이 이루어지려는데, 다만 그러고 싶고, 그래야 했다. 그보다 중요한 것은 없었다. 나머지는 차차 알아 가면 될 일이었다.

　이틀 정도 지나 너에게 연락했다. 바로 연락하고 싶은 욕구를 억누르느라 힘들었다. 너무 늦어도 안 될까 봐 조마조마했던 것이 그 이상을 넘기지 못했는데, 아니나 다를까 너는 역전의 불청객을 기억에서 소환하기까지 시간이 좀 걸렸다. 아마도 누가 그냥 수작을 부렸거니 생각하고 잊은 모양이었다. 그런 사람이 또 있었던 걸까? 어쨌든 그렇다는 것처럼 너는 거리를 두었다. 대체 나에 대해 뭘 안다고 이러는지 알 수 없다는 것처럼.

　"하지만 전 누굴 만난 기억이 없어요."

　떼를 쓸 수 없는 노릇이었다. 면식의 인증 오류가 거듭되는 사이, 성급하게 굴 수 없었다. 섣불리 아는 척하거나 민감한 (가령 출가한다고 그랬지 않았냐는) 이야기는 꺼내지 않았다. 질리지 않을 만큼 간격을 두고 얼음을 녹일 시간이 필요했다.

그래도 일관된 주장을 펼치는 나에게 너도 약간의 호기심이 동했던 모양이다. 야박하게 끊으려 들지 않았고, 어느덧 (수화기를 사이에 두고) 그럭저럭 분량 있는 대화를 나눌 수 있었다. 그러며 나는 한가지 증거를 제시할 수 있었는데, 아무튼 우리는 불변의 기억 하나를 공유하고 있었다. 내가 '세상의 끝'에서 보았던 황혼을 묘사하자, 너는 기꺼이 화답했다.

"그쵸, 정말 굉장했어요."

함께였다는 기억만 제외하면, 서로 공감할 수 있었다. 분명 우리는 그곳에서 같은 풍경을 보았다. 그러므로 좀처럼 믿지 못하던 너도 점차 헷갈리는 듯했다. 어쩌면 정말 누군가와 만났고, 만난 사람이 나일지도 모른다고. 결국 너는 승복했다.

"그럼, 일단 만나서 얘기할래요?"

며칠 뒤, 우리는 서점 앞에서 만났다. 평일 저녁이었고, 너는 시간이 많지 않다고 했다. 우리는 서점 안의 북 카페로 들어가 마주 앉았다.

너는 도시 외곽의 '두 강이 갈라지는 곳'에 살고 있었다. 거기서 도심의 대학을 오갔는데, 문학(?)을 전공하고 대학원을 졸업한 뒤, 일주일에 사나흘 정도 연구원으로 근무하며 강사로 일하고 있었다.

학생일 때는 부득불 학교와 가까운 원룸에 살다가 교외로 이사하게 되었다. 오가는 거리는 멀어졌지만 스스로 원한 일이었다. 자신에게는 일종의 '공간 균형' 같은 것이라고 했다. 꼭 필요하지 않은 약속이 줄어든 점도 좋았다.

다만 단점이라면, 타야 할 '마차(도심 외곽을 오가는 급행열차)'의 운행 간격이 너무 넓었다. 거리가 멀어 시간이 걸리는 것은 괜찮지만, 오지 않는 열차를 기다리는 것은 싫었고, 배차 시간에 예민해졌다. 게다가 열차가 끊기면 답이 없으므로 구두 한 짝이 벗겨져도 막차는 타야 했다. 그래서 (서점에서 쫓아간) 그날도 그렇게 급히 서둘러 갈 수밖에 없었다.

"하지만 그래서 결국 이렇게 만나게 되네요."

"왜죠?"

"그날 만약 서두르지 않았다면, 당신을 모른다고 했을 것이고, 그러면 연락처를 주는 일도 없었겠죠."

맞는 말이었다. 그래서 우리는 진실을 떠나 '다음 역'으로 향할 수 있었다.

_두 강이 갈라지는 곳

다음 역은 '두 강이 갈라지는 곳'이었다. 다가오는 주말에 두 번째 만남을 약속했고, 토요일 오전 나는 그곳으로 향했다. 네가 그랬다.

"한번 오세요. 도시 사람들은 애써 시간 내서 오는 곳이니까."

그리고 그곳에서 만난 너는 내가 만난 사람이 자신이 맞는지 검증하라는 듯 긴 이야기를 꺼냈다.

너는 여행을 자주 다닌다고 했다. 꼭 거창할 필요 없이 틈날 때마다 가방 하나 메고 훌쩍 떠났다. 주로 문학 답사를 다녔고, 명승지나 절(?!)도 곧잘 찾아다녔다.

여건이 되면 멀리 떠났다. 학교 일은 그다지 돈이

안 되는 대신 방학이 있었다. 연구소 일이나 계절 학기를 맡지 않으면 방학 동안 수입이 없지만, 궁핍한 시기일수록 오히려 시간은 충분해 그간 아껴둔 돈으로 긴 여행을 떠날 수 있었다.

그때는 나름의 테마를 정했는데, 주로 좋아하는 문학 작품이나 작가의 흔적(생가, 박물관, 무덤 등 어떤 흔적이든)을 찾아다녔다.

가령 톨스토이와 도스토옙스키의 러시아를 횡단했고, 스콧 피츠제럴드와 어니스트 헤밍웨이의 미국과 (두 작가가 어울린) 프랑스 파리로 향했다(이왕이면 헤밍웨이의 쿠바도 가보고 싶었으나, 당시에는 불가능했다). 파리에 간 것은 물론, 몽파르나스 묘지에 묻힌 보들레르, 모파상, 사르트르 때문이기도 했다. 에밀 졸라는 몽마르트르 묘지에 묻혀 있었고, 알베르 카뮈가 영면한 곳은 프로방스의 루르마랭이었다. 카프카를 기억하며 체코 프라하를 방문했고, 영국과 아일랜드로 향해 제임스 조이스, 조지 오웰, 버지니아 울프의 흔적과 조우했다. 그 와중에 런던의 베이커 스트리트와 킹스크로스역을 찾아갔던 것은 비밀 아닌 비밀이다.

물론 한꺼번에 둘러보기는 불가능해, 사정에 따라 여러 번에 걸쳐 찾아다녔다. 문학으로 연결되지만, 꼭 학문적인 목적만 있는 것은 아니어서 자연스러운 이끌림에 따랐고, 그 이끌림이 무엇인지는 스스로 만족할 만한 모든 여정의 끝에야 알 듯했다.

본인이 계획한 여행이지만, 좀 아쉬울 때도 있었다.

"죽은 작가의 그림자만 찾아다녀서 뭐 할까, 차라리 남들처럼 바캉스라도 다녀올 걸⋯⋯."

빠듯한 여정이 끝나고 심신이 피로한 채 학기가 시작되면 혼자 내뱉는 푸념이었다.

"결국 남는 건 비석에 각인된 이름과 짧은 글귀일지도 모른다는 생각이 들었어요."

너는 그렇게 말했다. 물론 위대한 작가는 작품으로 기억되지만, 그 인생 궤적을 쫓은 끝에 무덤과 마주하면 그런 영광도 어쩐지 공허하게 느껴진다고 했다. 알고 보면 빛나는 성취 이면에 작가의 인생은 고단했고, 끝은 허무했다.

톨스토이는 방탕한 삶으로 빚에 허덕였고, 도스토옙스키는 지병인 간질과 도박으로 피폐한 삶을 살았다. 보들레르는 매독, 모파상은 정신병, 사르트르는 갑작스러운 실명으로 고통받았다. 제임스 조이스 또한 시력 이상으로 거듭된 수술 끝에 평생 안대를 착용해야 했고, 극심한 낭비벽으로 생활고에 시달렸다.

한편 피츠제럴드는 일찍이 거둔 엄청난 성공에도 방탕한 생활로 굴곡진 삶을 살았고, 카프카는 정신과 육체의 병으로 처참한 말년을 보냈다. 조지 오웰(에릭 아서 블레어)은 오랫동안 앓던 결핵으로 사망했고, 졸라는 송사에 시달리는 가운데 암살당하고 말았다(피워 둔 난로의 굴뚝을 막아 일산화탄소 중독으로 사망했다). 카뮈는 스스로 가장 잘못된 죽음이라고 여겼던 자동차 사고로 유명을 달리했고, 헤밍웨이와 버지니아는 각각 권총과 투신자살로 생을 마감했다.

"다들 많이 아팠더군요. 어쩌면, 그래서 특별했나 싶을 정도로."

어쩐지 도로시 파커의 말이 떠올랐다고 했다. 좋은 작가가 되고 돈도 벌고 싶지만, 둘 다 택할 수 없다면 자기는 가난한 작가로 다락방에 살기보다는 돈을 택하겠다고.

그래도 모두가 고통에 신음하며 죽어간 건 아니었

다. 삶의 고난 속에도 극단이나 파국으로 치닫지 않고, 용케 생의 유통 기한을 채운 작가도 있었다. 그래서 너는 헤르만 헤세가 좋다고 했다. 그 역시 어릴 적부터 자살 시도에 신경 쇠약을 앓았지만, (독일계 '스위스인'답게) 정신과 육체의 '균형(중립)'을 끝까지 유지했다.

그 이유를 짐작건대, 그의 세계를 이루는 바탕에는 과연 남다른 면이 있었다. 바로 그가 어려서부터 인도의 영향을 받았다는 점인데, 그에게 인도는 어머니가 태어나 성장한 곳이었다(외할아버지와 아버지는 인도에서 선교활동을 했다). 키플링이나 조지 오웰처럼 인도에서 태어난 작가도 있지만, 독일에서 태어난 그야말로 인도를 '영혼의 본향'으로 여겼고, 그것은 (그의 작품을 봐도 그렇고) 헤세의 세계를 이루는 중요한 부분이 되었다. 그래서 그가 '균형'을 유지하지 않았을까…… 너는 생각했다.

'영혼의 본향'을 찾아 헤르만 헤세는 정말 인도로 향했다. 그러므로 너도 꼭 가보고 싶었다. 까마득한 옛날 순례길(!)이 그랬듯, 너의 여정도 이제 인도로 이어져야 할 듯했다. 하지만 그것(인도행)이 말처럼 쉽지는 않아 보였다. 관점의 변화가 필요하다는 것을 알았고, 죽은 작가의 그림자를 쫓는 일도 그만둘 생각이었지만, 분명 바캉스에서는 더더욱 멀어지는 길이었다. 고생길이 훤했다.

그래도 (여름은 무더워서 피하고) 겨울이 되자, 너는 도천渡天15)의 길에 올랐다. 헤세 때문에 시작한 여정이었으므로, 그가 쓴 인도 여행기16)를 한 권 가지고 떠났다. 여행하는 동안 읽으며 영감을 받을 생각이었다.

그런데 막상 인도에 가서 펼쳐 보니, 헤세의 여행기는 딱히 쓸모가 없었다. 기대와 다른 곳에서 남긴 기대와 다른 기록이었고, 거기서 영감을 받거나, 그의 흔적을 쫓기는 불가능했다.

인도에서 영향받은 헤세의 작품도, 정작 '본향'에서는 특별하지 않아 보였다. 너는 여전히 헤세의 작품을 (그 자체로) 좋아하고 그가 이룩한 업적을 우러러보지만, 그가 그곳에서 영감을 받아 쓴 작품은, 이미 까마득한 옛날부터 그곳에 전해진 이야기(베스트셀러)

---

15) 천축(天竺)으로 건너간다는 의미로, 천축은 인도의 옛 이름.
16) 《인도 여행》 (원제: 인도에서)

의 리메이크에 불과했다.

또한 주류가 아니었다. 인도에는 그 밖에도 (주류의) 무수한 이야기가 전해지고 있었고, 그 이야기의 총합이 곧 그곳의 바탕(사상과 철학)을 이루고 있었다. 그러므로 너는 헤세의 여행기를 덮어 도로 배낭에 넣었고, 그에게서 벗어나 인도를 바라보게 되었다. 크게 원을 그리듯 이동하며 유적지를 답사하고 순례지를 방문했는데, 평생을 다녀도 두루 살피기는 어려울 듯했다.

만만치 않은 여정이었고, 부피를 차지하는 헤세의 여행기는 갈수록 탐탁지 않게 여겨졌다. 그럼에도 어딘가에 버리지 않고 끝까지 챙겼다. 그것은 헤세에 대한 최소한의 예의였다. 오래전 '영혼의 본향'을 찾아온 그는 순탄치 못한 여정 끝에 돌아갔고, 그 기록을 남겼다고 한다. 너에게는 무용한(인도 본토는 가보지도 못한) 내용이지만, 그 갈망과 열정은 가볍지 않게 여겨졌다. 그것이 어깨를 짓누르는 배낭 속에서 헤세를 버리지 않은 이유였다고, 너는 감히 책은 함부로 버리지 못한다는 말을 장황하게 표현했다.

아무튼 그리하여 너는 헤세(의 여행기)를 데리고,

그가 원래 가려고 했던(하지만 그러지 못한) 남인도,
거기서도 최남단에 위치한 '세상의 끝'에 닿았다. 네
가 떠난 순례길의 마지막 종착지이기도 했다. 초행에
가야 할 곳은 많고 시간은 부족했지만, 여정의 끝에
자신을 그곳으로 이끈 작가의 소망을 대신 이루고 싶
었다.

"그러니까 당신 말은, 그때 거기서 우리가 만났다
는 거고요."

너는 마침내 말하려는 이야기의 핵심을 꺼냈지만,
나는 애매하게 흐리며 피해 갔다. 헤세가 그랬냐며,
문학에는 문외한이라 잘 모르고, '세상의 끝'에 대해
서도 잘 알지 못하지만, 막연히 그 지명에 이끌려 찾
아간 것이라고 했다.

"왜죠?"

"음…… 글쎄요, 왠지 끝은 시작일 것 같아서?"

너처럼 거기에 덧붙일 만한 멋진 스토리는 없었다.
내가 질문에 질문으로 답하자, 너는 화제를 바꿔 내
게 물어보았다.

"혹시 좋아하는 작가 있어요?"

"글쎄요⋯⋯ 쿤데라?"

생각지 못한 질문이라 그냥 읽어본 작가 중에 떠오르는 대로 답했다.

"좋죠. 근데 좀 차갑지 않아요?"

"그런가요?"

그러자 너는 자꾸 질문에 질문으로 답하지 말라며, 인간 심리를 적나라하게 들추는 작가의 시선이 가끔 그렇게 느껴진다고 했다.

그러고 보니 나도 좀 더 따뜻한 글을 선호하는 것 같았다. 하지만 이제 와서 줏대 없이 갈아탈 순 없는 노릇이었다. 아니면 쿤데라 역시 알고 보면 따뜻하다고 항변해야 했을까? 한림원은 망명 작가에게 더 뭘 원하는지 모르겠다고. 어쩐지 아쉬움이 느껴졌다. 코드를 맞추고 싶지만, 그런 대화에는 늘 서툴렀다.

걷다 보니 어느덧 '두 강이 갈라지는 곳'에서 정말 강이 두 줄기로 갈라지는 지점까지 와 있었다. 생소한 풍경이었다. 물 위로 강이 갈라지는 경계가 뚜렷이 보였다. 여기에 이런 곳이 있을 줄은 몰랐다.

도착하니 정오에 가까웠고, 역사 주변에서 점심을

먹고 차를 마신 뒤, 주위를 걸어서 둘러보기로 했다. 역을 등지고 강 쪽으로 다가가니 산책로가 나왔고, 그 길을 따라 계속 걸어간 끝에 강물이 두 줄기로 갈라지는 지점이 나왔다. 강 저편으로 그곳을 감싸듯 끝없는 산의 그러데이션이 겹겹이 펼쳐지고 있었다. 분명 저기 어딘가에 이곳으로 들어온 입구가 있을 텐데, 어디인지 알 수 없었다. 어디인지 알 수 없지만, 아름다웠다.

한 가지 유별난 점은, 고양이가 참 많았다. 길고양이라도 대개 피부병 없이 토실토실한 살집을 자랑했는데, 일찍이 바다 건너 고양이 섬은 들어봤어도 여기가 그런 곳일 줄은 몰랐다. 안면이 있는 듯, 지나가는 길고양이를 불러 세운 너도 한 마리를 집에서 키운다고 했다. 그에 비하면 사실 나는 개과의 인간이었다. 개인적인 유감은 없지만 고양이는 불길하다는 집에서 자랐고, 예전에 만났던 누군가도 내게 개 같다고 했었다.

그나저나 두 강이 갈라지는 풍경을 보며 너의 이야기를 듣다 보니, 나도 궁금한 것이 있었다. 가령, 정말 문학을 전공했는지, 왜 절이 아닌 여기(강이 갈라지고 고양이가 많은 곳)에 있는지……. 다만 망설이는 사이 돌아갈 시간이 되었고, 타이밍을 놓치자 그런 의문 따위는 중요하지 않게 느껴졌다. 어쨌든 이곳도 속세와 떨어져 있기는 마찬가지였다. 끈질기게 더 따져봐야 재미없었다. 아물어 가는 의문만 덧날 뿐, 좋을 게 없었다. 하기는 애초 간호사가 되려던 스위스인이 출가한다고 했는데, 이러지 말라는 법도 없었다.

아무튼 찾아온 보람이 있었다. 이제 너는 나를 의심하지 않는 듯했다. 아니, 의심하지 않기로 한 모양이었다. 여행하다 보면 많은 사람과 스치듯 만났다가 헤어지므로 나를 알아보지 못한 것도 그 때문일지 모른다며, 되레 미안해하기까지 했다. 역까지 배웅한 너는 웃으며 이렇게 말했다.

"어쩌면 정말 만났을지도 모르겠네요. 또 봐요."

우리는 그렇게 점점 가까워졌다. 어디서 불어오는지 모를 바람에 옷깃이 나부끼듯, 세상 끝으로 이어진 인연이었다. '기억 대 진실'의 추가 어느 쪽으로 기울든, 이제 그런 것 따위 아무 상관 없었다. 새롭게 쌓여가는 기억이 더 많으니, 시간은 그런 식으로 모든 일을 해결해 줄 듯했다.

시내에서도 보았지만, 내가 '두 강이 갈라지는 곳'으로 찾아가는 일이 잦았다. 주중 저녁 시간에 시내에서 잠깐 만나는 것은 감질날 뿐이었다. 경유지에서 공항 밖을 나가지 못해 발이 묶인 여행객이라도 된 기분이었고, 주말이 되면 (너의 시간이 허락하는 한) 나는 기다렸다는 듯 그곳으로 향했다.

"두물, 그게 원래 이름이야."

(비슷한 의미의) 다른 지명도 있지만, 너는 그렇게 부른다고 했다.

봄은 그렇게 지나갔다. 두물로 가는 길은 멀지만, 너를 만나러 간다는 설렘 속에 금방 도착하곤 했다. 별 부담 없이 떠난 봄소풍 같았다. 도시를 벗어나 산과 하늘의 끝없는 계조가 눈앞에 펼쳐지면, 조급함을 버리고 느긋하게 가져간 책을 읽거나 음악을 들으며 바깥 풍경을 바라보았고, 그러다 보면 어느덧 도착했다는 안내 방송이 흘러나왔다.

역을 나서면 네가 마중을 나와 있었다. 늘 그렇듯, 우리는 근처 식당에서 점심으로 토산土産의 건강한(풀이 가득한) 음식을 먹고 차를 한잔 마신 뒤, 강변을 산책하며 이야기를 나누었다.

두물은 위에서 보면 강을 향해 머리를 내민 듯한 모양으로, 머리에서 갈라진 두 강을 타고 온 시원한 바람이 공기 청정기처럼 위아래 양면을 훑어주었고, 덕분에 공기는 늘 상쾌했다.

우리는 강을 따라 한 면을 걸어가 다른 한 면으로 돌아왔다. 항상 두 강이 갈라지는 지점을 지나쳤고, 적당한 시간 동안 그곳의 벤치에 앉아 그때('세상의 끝'에서)처럼 어딘가 한 곳을 나란히 바라보았다. 마치 한 장면만 거듭 되풀이되는 영화를 보는 듯했다.

그러던 어느 날, 너는 (또) 내게 말했다.

"우리가 그때 거기서 만났다면, 왜 난 기억나지 않는 걸까?"

"내가 기억하고 있잖아."

"하지만 그런 기억은 쉽게 잊을 수 없을 텐데."

좋아하는 비디오테이프를 너무 돌려보다가 씹히고만 느낌이었다. 나는 슬며시 고개를 돌려 어딘가를 바라보는 너의 얼굴을 살폈다.

어쩌면 누구보다도 내가 잘 알고 있었다. 너와 나,

우리는 아무 곳에서도 비롯되지 않았고, 아무 개연성 없이 여기까지 와 있다는 것을. 그렇더라도 나는 상관없었다. 설령 모두 거짓이고 허구의 세계는 언젠가 무너지더라도, 이렇게 너를 볼 수 있어 기뻤다. 하지만 너는…… 아니었다.

"만약 시작부터 잘못되었다면, 우린 이대로 괜찮을까?"

아무런 대답도 해줄 수 없었다. 너에게는 진실한 바탕이 중요했고, 나는 그렇지 못한 바탕 위에 색을 입힐 근거를 댈 수 없었다.

그러는 사이, 맞은편 산허리와 만난 햇빛이 프리즘처럼 산란하며 황혼의 절정을 맞고 있었다. 곧 어두워질 테고, 이대로 앉아 있기에는 강바람이 차가웠다. 우리는 그만 자리에서 일어났다. 차마 내뱉을 자신 없는 말은 그대로 삼키고.

나는 위기감을 느끼면 서두르는 편이다. 너에게 꼭 전하고 싶은 말이 있지만 주저하고 있었는데, 더는 그러지 않기로 했다. 값비싼 것은 아니지만 신중하게 고른 선물을 준비하고, 진심이 담긴 편지를 써서 함께 포장했다. 그리고 너에게 연락해 만나자고 했다. 평일이었으므로 우리는 저녁에 서점 근처에서 잠시 보기로 했고, 나는 일찌감치 약속 장소에 가서 기다렸다.

하지만 아무리 기다려도 너는 오지 않았다. 전화를 받지 않았고, 문자를 보내도 아무런 답장이 없었다. 메시지가 다소 거칠어져도, 끝내 풀이 죽어 달래보아도 소용이 없었다. 메아리는 돌아오지 않았다.

주말이 되자, 무작정 두물로 향했다. 하지만 그곳에서도 고양이만 마주칠 뿐이었다. 게다가 그런 식으로 찾아가는 것은 선을 넘는 행동 같았다. 간절함과 집착의 차이는 무엇일까. 두물은 너를 제외한 모든 것들이 같아 보였지만, 네가 부재한 그곳은 내가 있을 곳이 아닌 듯했다. 시원했던 강바람이 이제는 거칠게만 느껴졌다. 그러고 보니 나는 네가 정확히 두물 어디에 사는지도 몰랐다. 많이 가까워졌다고 생각했는데, 막상 아는 것은 거의 영에 수렴했다. 그만 받아들여야 한다는 것을 깨닫고, 발걸음을 돌렸다.

_나의 너와 너

그렇게 시간이 흘러 여름이 지나가던 어느 밤, 갑작스러운 벨 소리가 방안에 울린다. 본능적으로 알 수 있다. 너의 전화다. 전화를 받자, 수화기 너머의 네가 말한다.

"지금 나올 수 있어?"

시간은 이미 밤 아홉 시를 넘어가고 있다.

셔터를 내린 서점 앞에서 너를 만난다. 도시의 밤, 다시 마주한 너는 강을 거슬러 발원지로 돌아간 듯 멀게 느껴진다. 예전 전철역 입구에서 가로막고 섰을 때와 같다. 여차하면 그만 늦었다며 열차를 타고 가 버릴 듯하다.

앉을 만한 장소를 찾아 자리를 옮긴다. 술집 말고 그 시간에 갈 곳은 많지 않지만, 대화를 할 수 있는 조용한 곳이 필요하다. 분주한 도로변을 이탈해 좁은 골목을 타고 들어가자, 편의점이 하나 보인다. 우리는 거기서 음료를 하나씩 들고나와 야외 벤치에 앉는다. 그러고도 한동안 입이 떨어지지 않는데, 그렇게 한참을 더 있다가 네가 먼저 말을 꺼낸다.

"뭔가 말하고 싶은데, 못 하는 기분 알아?"

나도 마찬가지다. 무언가 말하고 싶지만, 그럴 수 없다. 나름 준비한 말이 있지만, 막상 꺼낼 수 없다. 그처럼 너와 나의 말은 이미 갈라져 까마득히 멀어져 있음을 느낀다. 만약 이 순간이 우리가 그려온 그림이라면, 나는 짙은 물감으로 자꾸 덧칠하려 하고 너는 묽게 풀어 지우려 하는 것과 같다. 나는 다음으로 넘어가려 하지만 너는 여전히 같은 곳을 맴돌고, 같이 탈 수 없는 막차가 바로 몇 정거장 앞에 다가와 있다. 불쑥 그런 느낌이 든다. 무슨 말을 하든지, 이제는 소용이 없다.

사실 예감하고 있었다. 고통은 많은 것을 직시하게 만들고, 네가 그렇게 연락을 끊은 이후 많이 고통스러웠으니까. 몰랐다고 할 수 없다. 그러므로 나는 받아들이기로 한다. 내가 하려던 허튼 말은 삼키고, 무시해 왔던 진실과 대면하려 한다. 오래지 않아 너의 메마른 음성이 들려온다.

"이젠 확실해. 우린 거기서 만난 적이 없어."

나는 가만히 눈을 감는다. 그 속에는 공허한 어둠만이 가득하다. 잠시 후 핸드백이 열리고 라이터로 불을 붙이는 소리가 들린다. 네가 담배를 피우는지는 몰랐다. 하지만 다른 사람은 없고 바스락거리며 타들어 가는 소리는 선명하다. 어둠 속에 작은 모닥불의 연기가 한 줄기 솟아오를 즈음 나는 다시 눈을 뜬다. 너의 말이 이어진다.

"오늘 만나자고 한 건 분명히 하고 싶어서야."

"……"

"실은 너도 알고 있었던 거지?"

전혀, 라고 끝까지 부인하고 싶지만, 말이 되어 나오지 않는다. 그러나 이제 침묵으로 대화가 지연되는 일은 없다. 너는 곧바로 말한다.

"처음엔 아니더라도 결국 알았을 거로 생각해."

"뭘?"

"거기서 만난 사람이 내가 아니란 거."

"상관없어."

"아니, 상관없지 않아. 그건 네가 내게서 다른 사람

을 떠올린다는 거니까."

뭐라고 답하기 어렵다. 그 말에 긍정하거나 부정해서도, 회피하려거나 양심의 가책을 느껴서도 아니다. 단지 무엇을 어떻게 말해야 할지 모르겠다. 하지만 너는 끈질기게 답을 기다리고, 이대로 피할 수 없다는 것을 안다. 나는 신중히 말을 골라가며 답한다.

"네가, 내가 생각하는 네가 아니라면 미안해. 다만 난 정말 너라고 믿었어. 혹 아니라는 걸 알았더라도 마찬가지야. 그래도 널 보고 싶었으니까."

뱉고 보니 너, 너, 너…… 어쩐지 거짓의 거짓의 거짓 같다. 하지만 솔직한 감정이다. 아무 사람과 헷갈렸던 것이 아니다. 오로지 너였을 뿐이다. 어긋남을 모를 리 없지만, 다른 점보다 같은 점을 보고 부정하기보다 긍정하며 너와 너는 내게 하나로 포개어졌다. 게다가 인간은 원래 여러 겹의 모습이 한데 모인 다면적, 다층적 존재가 아니던가. 그럴 수 있다고 믿었다. 또 그렇게밖에 볼 수 없는 억제할 수 없는 감정이 나를 압도했고, 그 감정에 따르는 것만이 나의 순리였다. 진실을 떠나, 모든 것이 허구일지라도 내게 너는 너여야 했다.

내 말을 곱씹어 보듯, 너는 잠시 말이 없다. 세상 끝의 너처럼 말없이 먼 곳을 바라볼 뿐이다. 나도 마찬가지다. 황혼은 없지만 그때처럼 너와 같은 곳을 바라본다. 그리고 간간이 고개를 돌려 너의 모습을 확인한다. 많이 그리울 것 같다.

먼 곳을 바라보며 네가 말한다.

"뭐라고 해야 할까, 지난번 보자고 했을 때 느꼈어. 네가 내게 뭔가 말하려 한다는 걸. 일단 만나기로 하긴 했는데, 막상 시간이 되어 약속 장소로 가다 보니, 그러면 돌이키기 어렵다는 생각이 들었어. 그런 식으로 숨어서 정말 미안하지만, 생각을 정리할 시간이 필요했어."

거기까지 말한 너는 잠시 호흡을 고르더니, 독백과 같은 말을 계속 이어 간다.

"오해하진 않았으면 좋겠어. 널 알게 되어서 나도 기뻤어. 만나서 참 다행이라고도 생각했고. 다만 네가 '세상의 끝'에서 만난 난 나일 수 없고, 내가 될 수도 없으니까, 바탕이 뒤틀린 것이니까. 그런 것 따위 이제 문제 되지 않는다고, 나도 얼마나 생각해 봤는지 몰라. 하지만 널 만나면 목에 가시가 걸린 것처럼 늘 뭔가 마음에 걸리는 느낌이었어. 그런 기분이 사라지질 않더라. '너의 기억 속의 내'가 사실 내가 아니라면, 넌 지금처럼 날 바라볼까? '너의 난' 내가 아니고, 난 '너의 나'를 대신할 수 없다면……."

복잡하다. 머리가 깨지도록 아프다. 네가 피우던 담배는 진작에 꺼졌고, 주위에 번졌던 연기의 장막도 어느새 걷혔지만, 우리 사이는 갈수록 뿌예지는 것 같다. 이제 너는 약간 잠긴 듯, 그렇지만 분명한 울림을 가진 목소리로 길게 이어진 말의 마침표를 찍으려 한다.

"그냥 이대로면 좋겠어. 그 이상은 아무리 진심이라도 온전하게 느껴지지 않을 테니까. 거짓이나 착각에서 비롯되었다는 생각을 떨쳐내지 못하고, 늘 의심하겠지. 그 말을 들어야 할 상대는 내가 아니라고."

그렇다. 네가 아니라는데, 나는 무엇을 근거로 지금 네 앞에 있는 것일까. 여행을 끝으로 스님이 된다던 너, '두 강이 갈라지는 곳'에 사는 너, 너는 네가 아니라는데, 그럼에도 나는 왜 그게 너라고, 일(너) 더하기 일(너)은 일(너)이라고 고집할까.

완전한 마침표를 찍기 전에 나도 하나 물어보고 싶은 것이 있다. (지금 눈앞의) 너는 스위스인이 맞기나 할까?

"아니."

혼혈이고 아버지가 독일 사람이라고 한다. 언젠가는 진실과 마주해야 한다.

문득 지금쯤 어딘가의 절에 있을 스위스인 스님을 상상해 본다. (그때의) 너는 정말 스님이 되었을까? 물론 속으로 삼키고 마는 질문이다. (지금의) 너는 알리가 없다. 세상 끝의 황혼과 모닥불 그리고 멀어져 가던 뒷모습이 일순 눈앞에 떠오르더니 신기루처럼 사라진다.

이제 나는 너와 너를 선명하게 구분한다. 그렇다고 좀 더 일찍 그러지 못한 것을 후회하지는 않는다. 오히려 선명하지 않은 대로 계속되기를 바랐다. 하지만 그것은 불가능하다고, 너는 말한다.

네 말이 옳다. 너와 너 그리고 나 사이에는 아무런 근거가 없다. 이대로 계속되기는 불가능하다. 그러므로 내가 하려던 말도, 꺼내지 말아야 한다. 너는 의문형 문장으로 마지막 마침표를 찍는다.

"그냥 친구로 지낼 순 없을까?"

그렇다면…… 이제 안녕.

_밤의 순례자

너와 헤어진 뒤 무작정 걷기 시작한다. 밤새도록, 그럴 수밖에 없다. 걷고 또 걷는 것밖에 달리 방법이 떠오르지 않는다.

나는 과거를 씻으려는 순례자처럼, 도시를 가로지르는 강을 따라 동쪽에서 서쪽으로, 다시 아래로 강을 건너 집으로 향한다. 수십 킬로미터가 넘는 행군이지만, 순례하는 나라 사람들에게는 아무것도 아닌 거리다.

대중교통은 이미 끊긴 시간이다. 갈수록 종아리가 무겁고 발걸음이 둔해지지만, 택시를 붙잡을 생각은 없다. 애초 가능한 한 걷기로 했던 것이지만, 걷다 보니 끝까지 가겠다는 오기가 생긴다. 어느새 다리에 가까워지고, 물릴 수 없는 지점에 이른다.

다리에 오르자, 세상은 아직 귀퉁이에 작은 밤이 걸린 아침이 되어 있다. 나는 잠시 멈춰 서서 멀리 강줄기가 흐르는 곳을 바라본다. '두 강이 갈라지는 곳'이 저쪽 어딘가에 있겠지만, 이제는 그저 까마득하게 느껴질 뿐이다.

정체가 모호한 시간, 고개를 갸웃하듯 차량들이 드문드문 지나가고, 다리 위를 청소하는 환경미화원들이 풍경의 이물이 된 나를 주시한다. 말해주고 싶다. 걱정할 필요 없다고, 당신들이 의심하는 그런 장면은 아니라고.

다리의 마지막 구간을 버텨낸다. 뒤뚱거리며 다리를 건너는 사이, 이야기할 사람이 필요하다고 생각한다. 나만 기억하는 것은 무의미하다. 누군가 이 순간을 함께 해주기를 바란다. 하지만 주머니에서 핸드폰을 꺼내 보니, 배터리는 완주를 포기한 듯 숨을 헐떡이고 있다.

다리를 건너 처음 보이는 공중 전화박스로 향한다. 마침 강변 공원의 편의점 옆에 하나가 보인다. 문득 아직 공중전화가 존재하는 이유를 알 것 같다. 밤새 순례를 떠난 사람이 안부를 전하는 장소다. 걱정하지 말라고, 무사하다고, 거의 다 왔다고. 그런데 막상 전화를 걸려니 그럴 상대가 없다. 이 시간에 전화해도 될 사람은 없다.

그만두고 다시 걷기 시작한다. 이미 감각이 없는 두 다리를 거의 질질 끌다시피 하며 걷는다. 그래도 차라리 마음보다 몸이 아픈 것이 낫다는 생각도 든다. 걸어서 발이 닳아버리면, 다른 고통은 하찮아질 것 같다.

몇 시나 됐는지 궁금하지만, 굳이 손목을 들어 시간을 확인하지 않는다. 제어할 수 없는 것을 봐서 무엇하랴. 더군다나 눈이 퉁퉁 부어 간간이 마주 오는 차량을 외면하기도 바쁘다.

결국…… 집에 도착한다. 현관 문턱을 넘자, 귓가에 환청처럼 록키(서바이버)의 〈아이 오브 타이거〉가 들려온다. 나는 그대로 서서 두 팔을 번쩍 치켜든다. 술 한 잔 마시지 않았지만, 만취한 기분이다. 희한하게도 속이 후련하다.

너와 너는 네가 아니다.

어디로 가야 하나

지나가던 길에 너를 본다. '섬'의 해안도로 위를 차로 달리다가 너를 지나치는데, 백미러 속의 너는 어느 '상점의 쇼윈도' 앞을 걷고 있다.

찰나의 순간이고, 네가 굽잇길 너머로 완전히 사라지기 전에 차를 멈추려 한다. 그런데 그 순간, 너의 뒤에 몇 걸음 떨어져 걷고 있는 아이를 본다. 만감이 교차한다. 그냥 그대로 커브를 돌아 계속 달릴 수밖에 없다.

그동안 섬은 많이 변했다. 한때 내가 어쩔 수 없이 와야 했던 곳이 아니다. 텅 비었던 공간은 이색적인 건물로 채워졌고, 길가는 바캉스온 사람들로 북적인다. 답답한 마음에 내가 담배를 태우며 서 있던 바닷가도 이제 카페와 상점이 들어서 있다. 예감일 뿐이지만, 너도 많이 변했을 것 같다. 아무래도 너를 본 것 같다고 하자, 나와 동행한 '형'이 말한다.

"설마……."

실제로 봤는가? 나도 모르겠다. 보고 싶지만 보지 못하고 잊고 싶지만 잊지 못한 사이, 상점에 대한 왜곡된 기억도 많아졌을 듯하다. 멋대로 잊을 수 없어도 멋대로 각색되는 것이 기억이니까, 확인하려면 다시 가봐야……. 젠장, 마치 언제 재발할지 모를 병을 앓는 것 같다. 그러는 한 계속 상점에 매달려야 한다.

그러므로 계속 앞으로 달리려 한다. 이제 신경증은 거의 나았지만, 악보의 도돌이표처럼 반복하지 않으려면, 실재한 상점이든 망상 속의 상점이든 이대로 각색된 기억 속에 남긴 채 시치미를 뚝 떼야 한다. 우연히 마주친 우리는 미소를 머금은 채 서로 스치듯 지나갔고 한참을 지나 고개를 돌아봤었다고, 이미 각색한 장면을 떠올려 본다.

잠시 신호등 앞에 멈춰 선다. 곧 마지막 갈림길이

나온다. 안내판에는 두 가지 방향이 주어진다. 하나는 직진 방향, 또 하나는 온 길을 우회해 상점으로 돌아가는 방향이다. 다음 기회는 없다.

어디로 가야 하나…… 사실 내게는 선택의 여지가 없다. 실현 가능성이 희박하다고 생각했을 뿐, 분명 이 순간을 기다려 왔으니까.

하지만 어디로 가야 하나…… 막상 지나간 상점을 다시 기웃거리는 것은 소용없는 짓 같다. 가서 길고양이처럼 서성이며 운명 같은 재회를 기대하겠지만, 네가 아니거나 너라도 원치 않을 수 있다. 불편한 상황이 연출될 수도 있다. 나의 시간은 상점 앞에 여전히 멈춰 있지만, 너의 시간은 계속 흘러갔을 테니까, 우연히 얼굴을 본(보았다고 믿는) 것만으로 충분할지 모른다.

그럼에도 바라면 이뤄지기도 하니까…… 자꾸만 마음은 소용없는 쪽으로 기운다. 소용없는 풍경이 눈앞에 어른거린다. 어쩌면, 어쩌면 나는, 소용없는 것을 바라고 있는지도 모른다.

이제 곧 신호가 바뀌려 한다.

작가의 말

여기에 수록된 글은 오래전 틈틈이 썼던 이야기를 시간을 두고 새롭게 다듬은 것이다. 이제 와서 손을 대려니 난감한 부분이 많지만, 풋풋하고 미흡한 대로 진심을 담아 썼었기에, 나름 완결된 형태로 마무리하고 싶었다. 지금의 나는, 어떤 식으로든 그때의 '너'에게 제대로 된 작별을 고하고 싶은지도 모른다.

글의 배경은 이제 막 세기가 바뀌었던 무렵이다. 등장인물은 원래 각기 이름이 있었을지언정 하나의 흐름으로 다듬으며, 주로 '나'와 '너' 그리고 '형'으로 추렸다. 그 결과, 복학을 망설이는 나와 좌절을 극복하는 너의 이야기(안전요원), 집착적인 편지광으로 작가를 꿈꿨던 나의 이야기(너에게 쓰는 밤에), 한 번도 만나지 못한 형과 나의 이별 이야기(보험 형), 세기말 학번으로 새로운 세기에 복학해야 하는 나의 이야기 (복학병자), 하나라고 믿고 싶은 두 명의 너와 만난 이야기(너와 너)가 되었다.

물론 실제로 경험한 일만은 아니다. 여러 가지 물감을 섞어 하나로 조색하듯 하나의 인물 안에 여러 사람의 이미지를 반영했고, 실제 일어나지 않은 상상 속의 사건을 가미했다. 실제의 나는, 가벼운 신경증과 더불어 다소 싱거운 학창 시절을 보냈고, 좀 더 납득할 만한 사람들과 어울렸다(고 밝혀두고 싶다).

그래도 전철을 타고 아무 곳에나 내려 무작정 걸었던 것은 사실이고, '너'라는 대상이 그 시절 나에게 누구보다 소중했던 존재임은 틀림없다. 그때의 감정은 이 글에 솔직히 담겼다고 말할 수 있다.

분명 그때의 나는, '너'라면 다른 모든 것을 제쳐두고, 어디든 찾아갈 수 있었다.

이십일 세기로부터
기형